ART BRUT
アール・ブリュット
湧き上がる衝動の芸術

大和書房

小林瑞恵

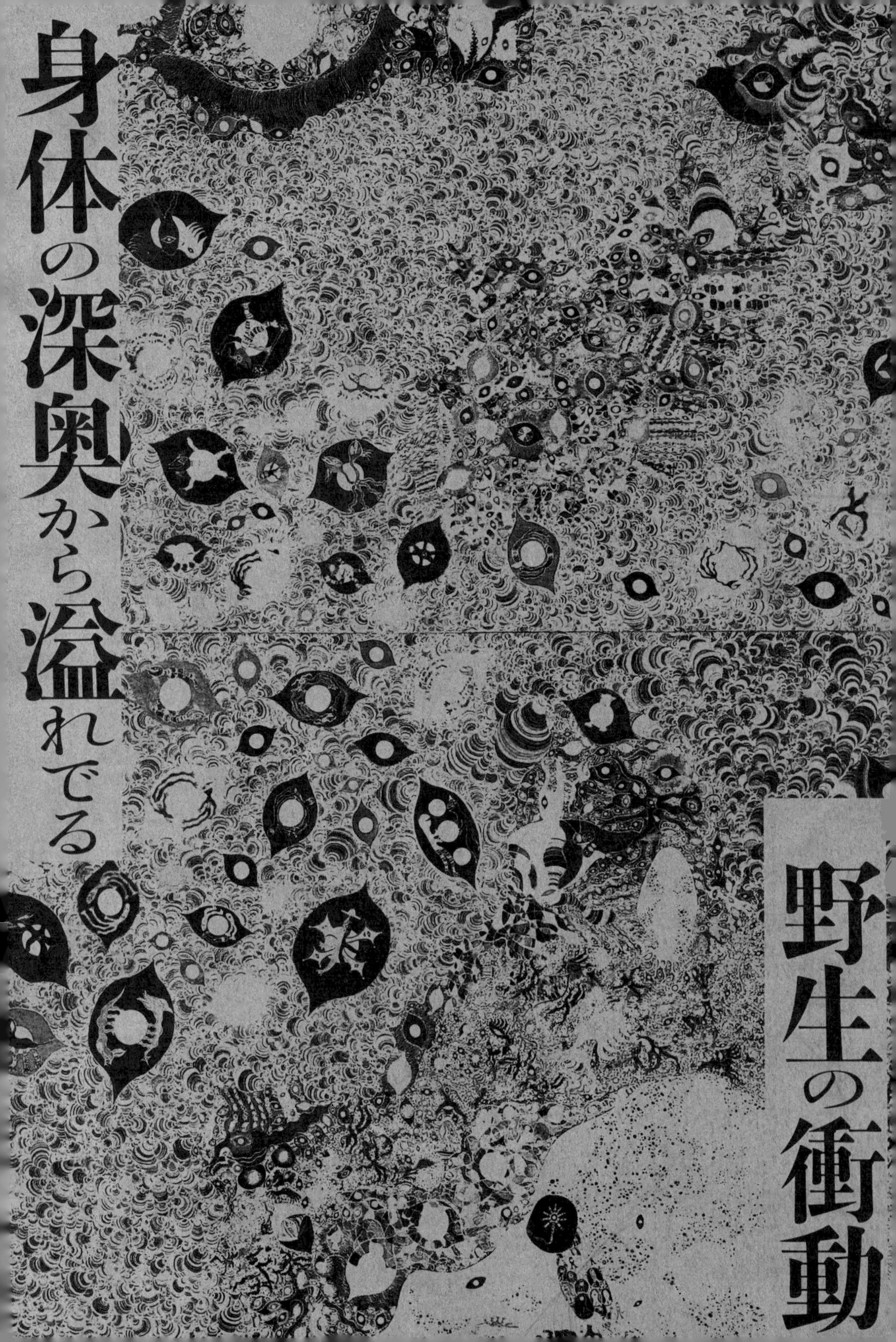
野生の衝動
身体の深奥から溢れでる

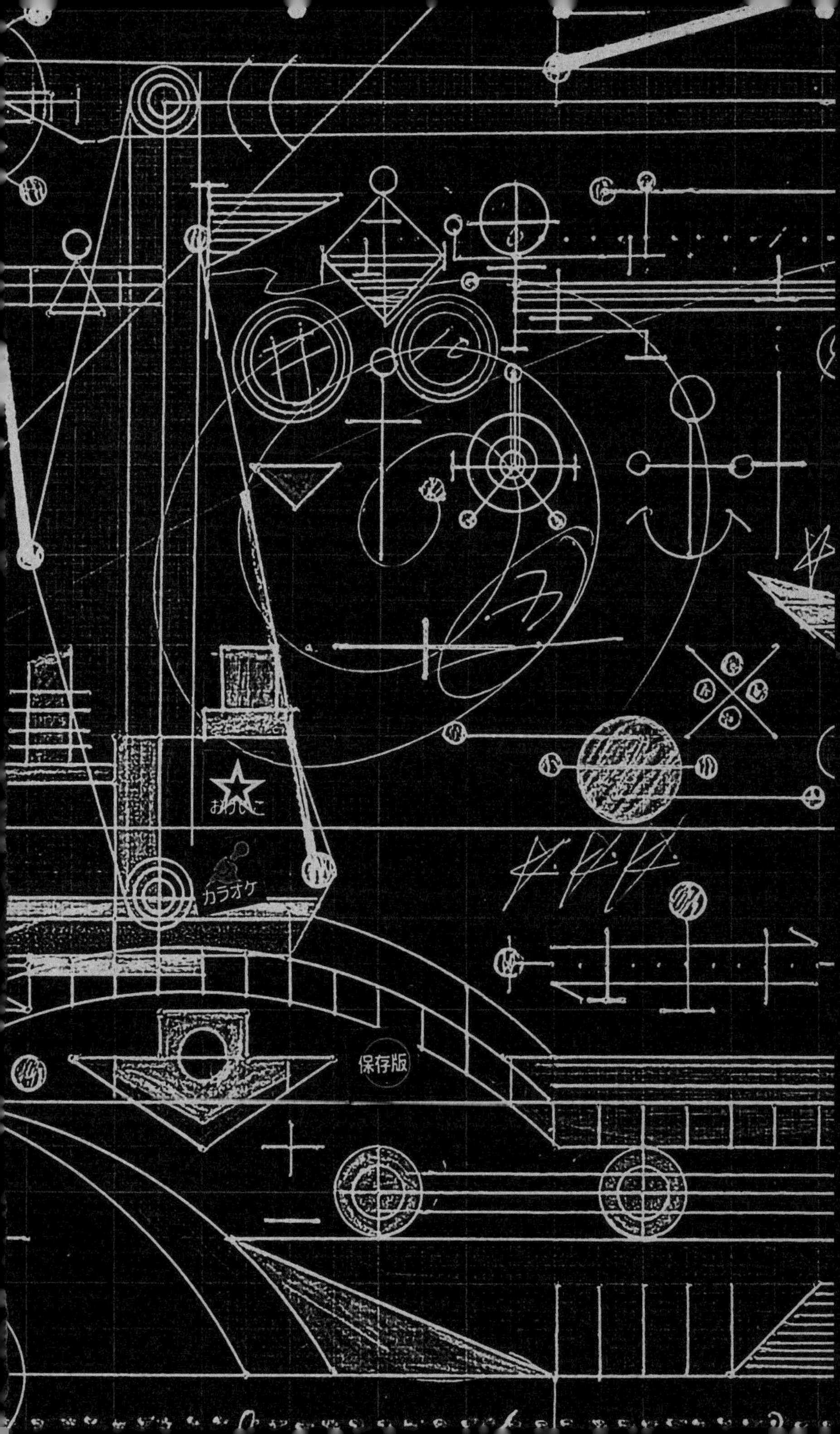

何にも縛られない発想が生む無限の可能性

存在の証明

心奪われる強烈で静かな

芸術の地平を拓く 創造の原点

はじめに

アール・ブリュット、よくわからないけれど、不思議な響きのする言葉。

フランス語で「生（き）の芸術」という意味で語られるこのアート作品は、美術の専門的教育を受けていない人が、独自の発想と方法で制作したものです。自身の喜びのために人知れず創作した人、社会生活の傍ら自分の理想宮を建造した人、交霊術によって絵を描いた人、混沌とする精神を抱えながらも創作に希望を見出した人などが、社会の規範や常識の型にはまらない、誰も見たことのないような創作をしています。

日本では一般的にまだあまり知られていませんが、2009年以降、スイスやフランスで日本のアール・ブリュットを取り上げた展覧会が開催されたことをきっかけに、日本の作品の評判は欧州に瞬く間に広がりました。それから今日まで、日本のアール・ブリュット展は毎年のように欧州やアジアで開催され、国内外で高い評価を得ています。かくいう私も2005年にアール・ブリュットと出合い、生々しいエネルギーを発する独創性溢れる作品に度肝を抜かれ、熱狂した一人です。ドキドキとなりやまない鼓動、そして忘れることのない感動を体感してきました。これから紹介するのは、海外展に出品した作者40名の作品です。

アール・ブリュットにはさまざまな魅力があります。

本書では4つの視点から段階的に作品と出合っていただくことを試みました。まず、「いろ」では、自由な色彩に注目し、極彩色のハーモニーや、モノクロームの線の連なりから浮かび上がる世界を紹介しています。次に「かたち」では、絵のなかに描かれるものの形象や立体作品の多様さから表現を見ていきます。そして「そざい」では、作品に使われる画

材や支持体（紙やキャンバスなど）、材料をテーマに作品を見ていくことで、作者の日常や制作環境がイメージできるでしょう。最後に「ものがたり」では、作品が生まれた背景にフォーカスし、作者の空想世界や他者とのコミュニケーションのあり方、独自性が生まれたきっかけなど、ユニークな制作の源泉に迫ります。さらに、作品紹介の間には、アール・ブリュットの歴史や国内の取り組み、そしてさらに多様な表現の魅力を、海外の作品も紹介しつつ３つのコラムにまとめています。

人生で「たまらない」と思える瞬間に人はいくつ出合えるでしょうか。

15年近く作品を調査し、国内外で展覧会をキュレーションしてきた私ですが、アール・ブリュットにはまだまだ掴めない部分が多くあり、その様相はとても多様です。人間のマグマのような芸術を前に、自分が感じたことをうまく言葉にできないのです。しかしそれは、「言葉にできないから、言葉を失うから、たまらない」のだと、ある時気がつきました。そういう体験ができるのもアール・ブリュットの大きな魅力です。そして、作品と出合うなかで、作品の奥深くに考えを巡らせることは、日常や社会へのまなざしにも気づきとひらめきを与えてくれます。本書は、それらを可能な限り具体的にお伝えできるように執筆しました。変わりゆく時代に身を置く私たちにとって、アール・ブリュットがこれからを生きるためのひとつのエッセンスとなれば嬉しいです。

一人でも多くの方に、アール・ブリュットの魅力が届きますように。

小林瑞恵

目次

かたち　枠のない想像から生まれる「かたち」の宇宙

の可能性

ものがたり　作品一つひとつに込められた「ものがたり」

〈凡例〉 ＊図版の配列は、制作年などの規則的な順序に従うものではありません。　＊各ページの作品には原則として作品タイトルを併記していますが、無題の場合やタイトル不詳など記載が難しい場合は、巻末の作品リストのみとなります。　＊ページの作品タイトル横に（部分）と記載されたものは、作品の一部を取り出して掲載したものです。

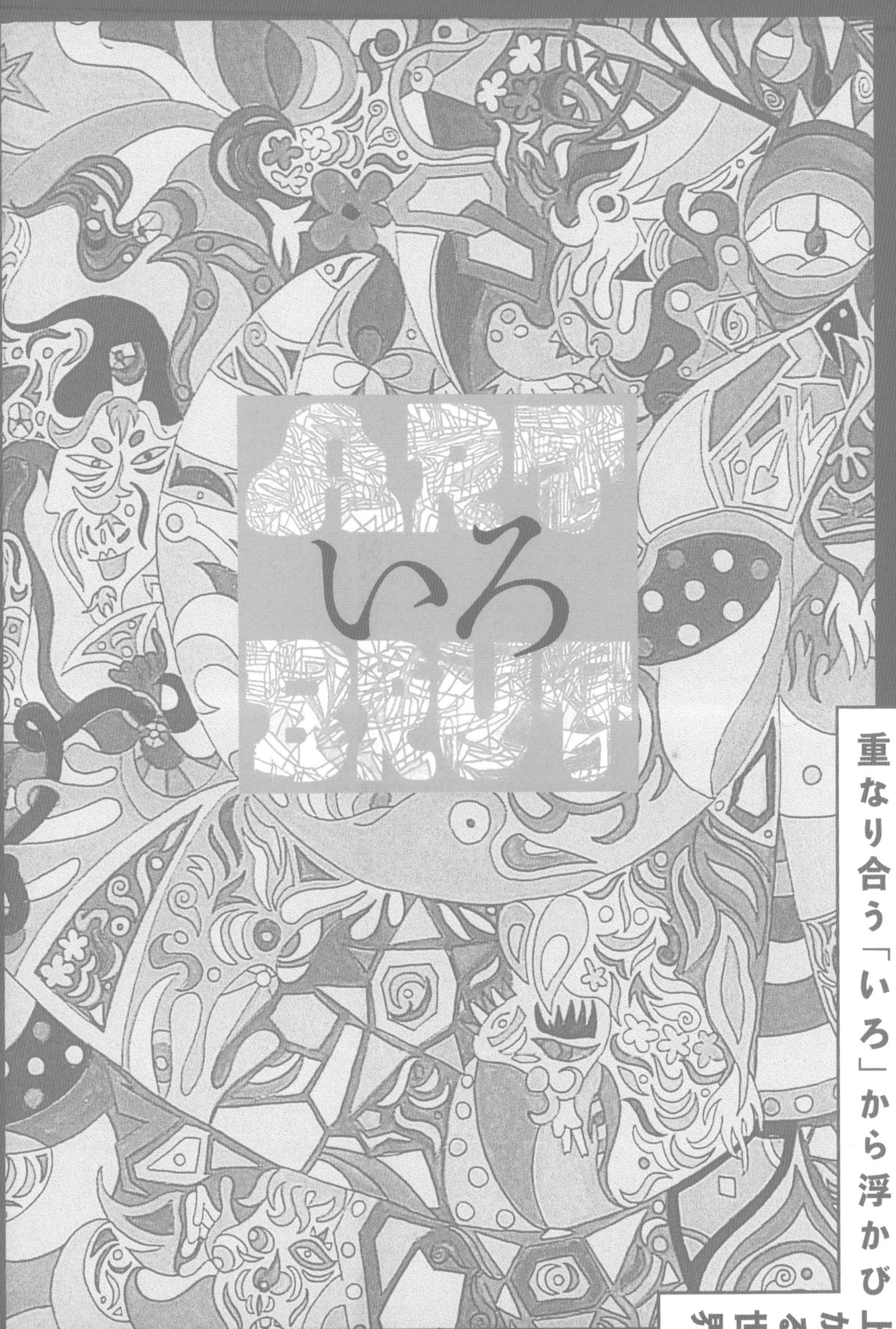

重なり合う「いろ」から浮かび上がる世界

大小さまざまな色の目の惑星、見

色鮮やかに描かれるかたちは、地球上の生き物に似ているものもあれば、妖怪やお化け、異星人のように見えるものもあります。作品の最大の特徴は「目」です。大きく見開き、じっと何かを見つめています。それは、目を閉じることを恐れるかのように、何かを必死に伝えるかのように力強く表現されてい

〈ドックンROLL〉

たくさんの視線を感じる絵。

福井 誠

（ふくい・まこと）

1982年生まれ

長崎県在住

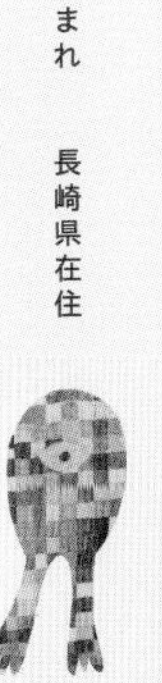

〈自画像〉

ます。幾度となく描かれる「目」について尋ねると、統合失調症を発病した時に幻覚症状が現れ、絶えず何かに見られている感じがして、目が気になって仕方がなかったのだといいます。絵を描くことで気持ちが落ち着いたとも語り、以来、

〈ルール〉（部分）

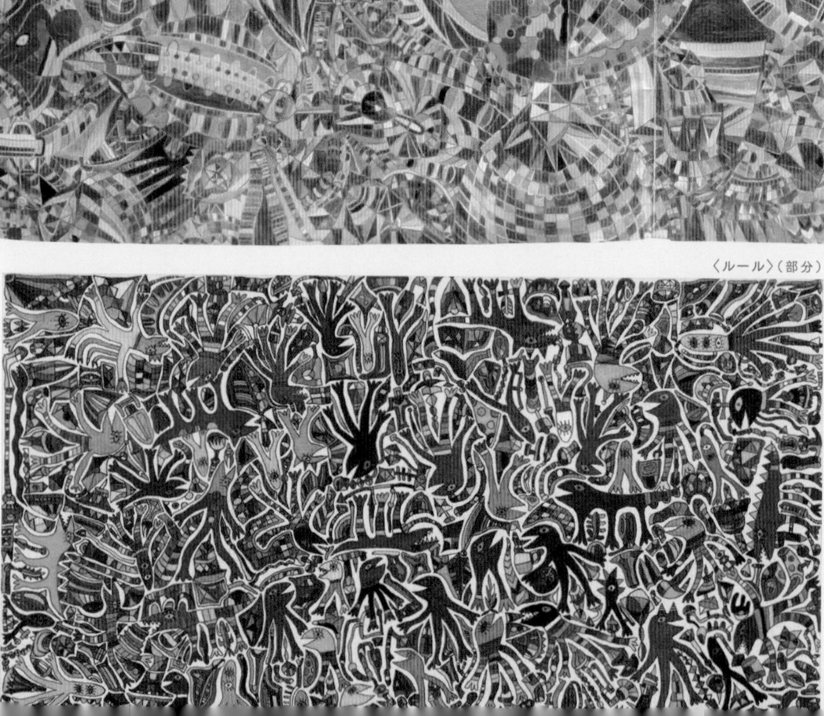

プリントしたかのようなムラの無い着彩。

緻密すぎるほど細かく描かれた模様と「目」。

〈SPIRIT 東京 WORLD〉

〈浮遊する〉

福井の作品にはシンボリックな存在として目が頻繁に描かれます。作品『私の宇宙。人を見失い、自分を見失う。ゾゾ、それでもあなたは人を愛せますか？』（P2 口絵 1）では、大小さまざまな色の目が惑星のように点在し、精細で色鮮や

かな背景と一体となり、宇宙のような奥行きを持って描かれています。自画像を描いた作品では、大きな目を持つ丸い物体から 3 本指の足が 2 本生えています。福井によると「自分のなかでは自分はこういうかたちなんです」とのこと。自画

〈双頭ドロー・ウーゲ〉

像シリーズでは色や模様、紙の大きさをさまざまに変化させ、納得いくまで何百枚も描き続けます。現在は自宅で、漫画用のペンと紙、色鉛筆を使って制作しており、この漫画用紙をうまく繋ぎ合わせることで、画面を自由に拡張しています。

黒一色の世界に、鮮

黒の線が幾重にも交わり、絵のなかに立体的なモノクロームの世界が浮かび上がってきます。遠くから見るだけでは、この作品の本質には気付きにくく、絵を間近で鑑賞し始めると、深い陰影のなかに浮かび上がる高橋の世界に出合うことになります。そして、鑑賞者は奥へ奥へと広がる描画に吸い込まれていくのです。高橋は、人間関係に行き詰まり、19歳頃から自宅に引きこもるようになりました。制作を始めたのは32歳頃からです。高橋の元へ訪れていたカウンセラーが画家であり、彼に絵を描くことを勧めたのがきっかけでした。創作を始め

やかに描きあげた実在

Takahashi Yoshi

高橋 甫（たかはし・よし）

1974-2015年

徳島県出身

黒一色の描画のなかに、筆圧による線の陰影が濃厚に浮かび上がる。

〈授ける者〉

た頃の数年間は、特に何かモチーフがあるわけでもなく無意識に任せた抽象的な絵を描いていました。それが徐々に自分の描きたいかたちのイメージを持つようになり、動物や人物などの具象的なモチーフを描くように変化していきました。

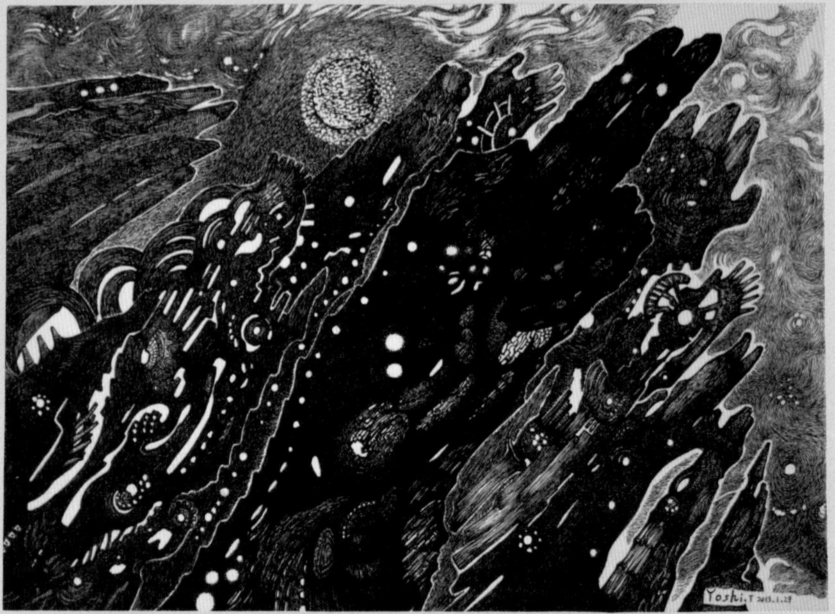

〈山 麓〉

何重にも描かれた線が、わずか1㎜程の厚さの紙に彫刻画のような深い奥行きを生む。

左上〈航海の時〉 右上〈踊る人間〉 右下〈鳳 凰〉

作品に登場する「鳥」や「動物」は自己を“擬獣化”したもので、「女性」は敬愛する祖母らであるようです。擬獣化した鳥は、自由に世界を飛びまわりたいという髙橋の願いを表現したのかもしれません。制作は居間か自室で行われ、晩年は絵画を通じて交流のあった友人の影響でカラーの作品も制作していました。

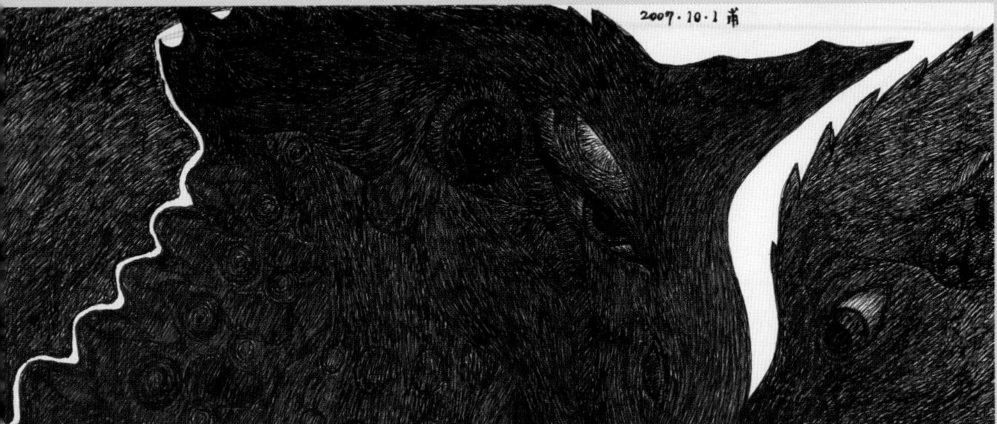

自身を投影した鳥や動物のモチーフから溢れる自由闊達さと力強さ。

〈仲 間（対立）〉

〈たちのぼる意識〉

生命のかたちへのイマージュ

鮓 万里絵（すずき・まりえ）

1979年生まれ　長野県在住

乱立する乳房や性器、豊満で優艶な身体、無数のハサミ、そして紙面に広がる美しい色彩。2007年のある時、鮓は頭のなかに浮かんだイメージを描き始めました。以来、毎日のようにこれらの作品を描き続けています。「描くと落ち着く」そうで、日常動作の一つとして必要な時間となっ

〈コンプレックスカマタリ〉

微小のドットで描かれた美しい色彩とかたち。

〈寝盗奴メメントモリ〉

ています。最初から完成したイメージがあるわけではなく、はっきりと浮かんだイメージから描いていくことが多いようです。マーカーペンを使用して輪郭から描き、そのなかにディテールを塗り込んでいきます。おびただしい微小のドット

〈いかん（の）い！〉

鮔が見る世界を感じられる作品のタイトル。

〈おってけにげてけ〉

は、１秒に3、4回、打ち込むようなリズムでトントントンと点描されたものです。それらのドットがいくつもの模様を形成し、繊細でしなやかな描画が表出します。鮔は外出先で絵を描くための小さなスケッチブックやもらった屛風、使わなく

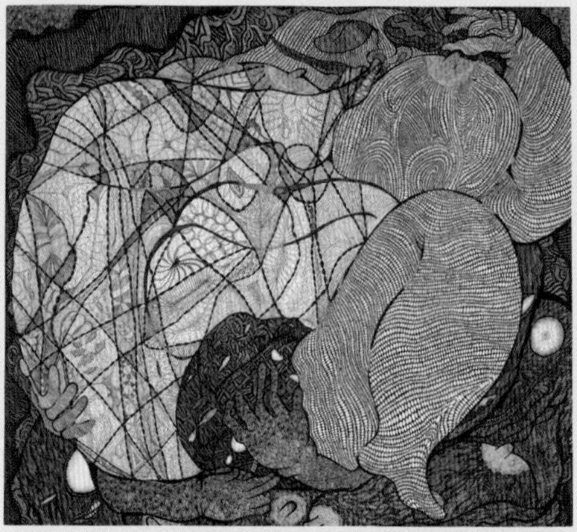

〈多弁の口を止める薬〉

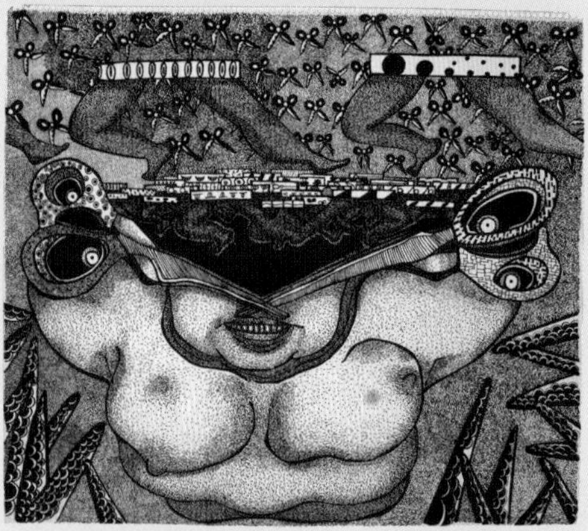

〈ダンスダンスダンス〉

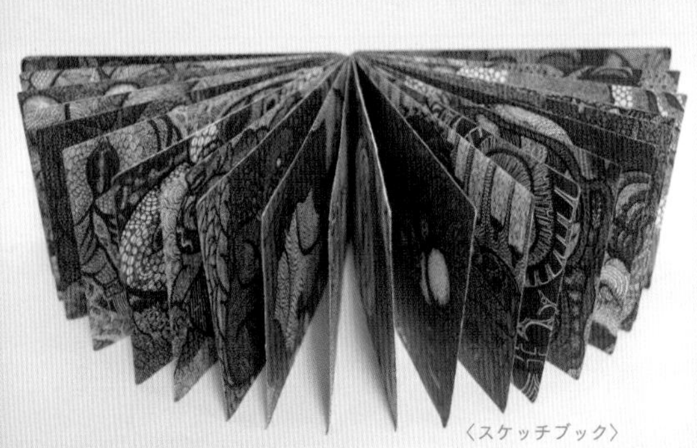

〈スケッチブック〉

なったベッドの敷板など、さまざまな素材に描いており、制作期間は 1 週間から数か月かかるものまであります。絵画は年月を経るごとに色艶やかに緻密に進化しています。また作品タイトルも特徴的です。タイトルは、その時に思い浮かん

〈何になる〉

だ言葉をつけ、思い浮かばなければタイトルなしと表記するようです。鮄は国内外での出展のほか、2014年に地元長野の信毎文化事業財団による第19回信毎選賞を受賞するなど、一人の作家として注目を集め、活躍の場を広げています。

色艶やかな生きもの

阿山はさまざまな木材をキャンバスに、フラミンゴ、マントヒヒ、魚、カエル、フクロウなどの生きものを色彩豊かに描いています。生きものたちは、ユーモラスな表情、かたち、そして鮮やかな配色を施され、生命力と温もりに溢れています。阿山は福祉施設が運営する工房で働いています。普段はガラス製品を扱う部門でトンボ玉の制作をしていますが、20代半ば頃から木材への描画を行うようになりました。工房が木工の製作も手

〈ヒョウとチーターとユキヒョウの赤ちゃん〉

阿山隆之

（あやま・たかゆき）

1973年生まれ　東京都在住

コミカルなフォルムをした、鮮やかな配色の生きものたち！

がけていることから、多種多様な木材をキャンバスとして用いる環境に恵まれたのです。写真などを見て描くことが多いですが、幼い頃に読んだ童話や絵本に登場する人物を描くこともあります。ウッドバーニング用の電熱ペンを使い、木板

〈メダカの学校〉

を焼いて輪郭線を引いていき、その後、輪郭線のなかを色鉛筆で彩色します。木材にある段差や、穴、木目、樹皮など、木材そのものの形状を活かすように、150色もの色鉛筆を使い分けながら色を塗っていきます。絵の具やペンキに比べ

色鉛筆を塗り重ねて生まれる、生命と温もりに満ちた世界。

〈かえる21匹〉

〈黒牛とフラミンゴと四葉のクローバー〉

〈世界のアナホリフクロウ〉

細かな木目や穴、樹皮にいたるまで、木材の形状に合わせて制作。

ると、色鉛筆は発色が弱い画材です。しかし、阿山は木材への着彩には不向きに感じられる色鉛筆を使用して、しっかりとした色になるまで丁寧に濃密に塗り重ねることで、彼独自の鮮やかかつ非常に艶のある彩色に仕上げるのです。

躍動するモノクロの

〈男の人〉

ダイナミックなストロークで描かれた人物たち。強さや儚さを感じる表情とたたずまいが印象的です。熱気すら感じさせる岡元の作品は、見る者の視線を引き寄せます。岡元は福祉施設で制作していますが、通い始めた頃はトラックに夢中で、作品制作はしていませんでした。ある時期から日常のなかで見たものを描画したり、粘土などで制作するようになり、その様子を見た施設職員が、集団生活が苦手だった岡元のために、作品倉庫だった場所を彼専用のアトリエとして用意したそうです。周りを気にすることなく自分のペースで創作できる空間を得て、岡元の描画は飛躍を遂げます。使用する画材

ポートレート

岡元 俊雄（おかもと・としお）

1978年生まれ　滋賀県在住

表情と筆致のギャップが何とも言えない魅力。

〈マイルス デイビス〉

印象的な人物のまなざしやフォルム。

は、墨汁と割り箸。モチーフは雑誌や画集などから選び、それをもとに模写しますが、岡元の描画では大胆にデフォルメされていきます。好きな音楽を大音量でかけ、膝を突いて寝そべりながら、割り箸に墨を浸して主に大きさ約1m×70cmの

〈女の人〉

〈女の人〉

〈男の人〉

紙に描いていきます。全体の輪郭を描いた後、その輪郭線をなぞり、何度も何度も墨を塗り重ねていくことで、絵は出来上がります。筆の滑らかさとは異なり、割り箸が持つ形状や質感は、墨絵に荒々しさや衝動を増幅させることに繋がっています。そしてそのことが岡元特有の人物画の魅力となっています。

此処にあり、此処にな

鳥の目を持つかのように、美しいモノクロームの俯瞰図を描きます。辻は建物などの高所から街並みや風景を眺めることが好きで、誰かに止められることがなければ、いつまでもいつまでも眺め続けていられます。その際に何かを描き留めることはなく、眼でスキャンをかけていくように街の表層を頭の中に記憶していきます。四方を隈なく眺めていきますが、好きな日本家屋の瓦屋根はとりわけじっくりと眺めているそうです。創作は、中学2、3年生の頃から始まりました。記

現実と空想の街

辻 勇二
（つじ・ゆうじ）

1977年生まれ　愛知県在住

下書きなしで描かれる現実と空想の街。

〈心でのぞいた僕の街〉

憶した実在の街、それに自分の空想を交え、実在と空想が混じりあった架空の街を紙面に描いていきます。辻の創作は現実と想像を合わせながら、ここではない別世界にある新しい街を再創造しているようでもあります。また作品に人らしき

車や船の動きから伝わってくる生活の様子、人の気配。

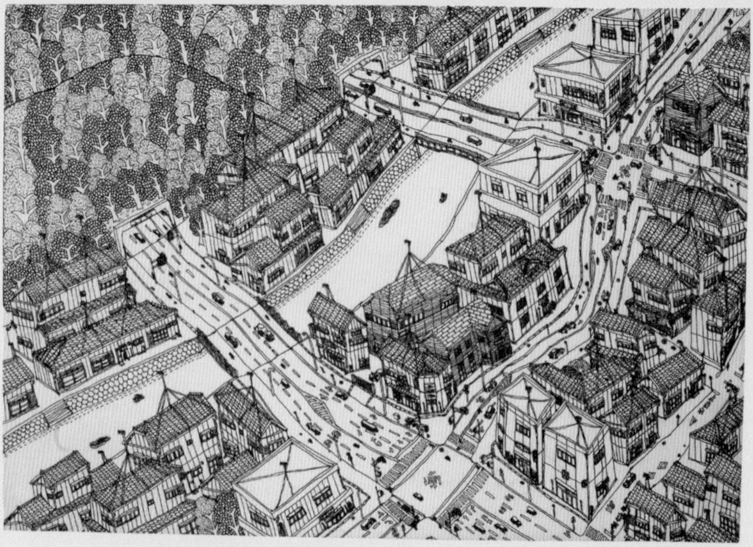

最近見なくなった屋根馬（テレビアンテナ）が頻繁に登場！

P38-39 全て〈心でのぞいた僕の街〉

ものが現れないことも特徴の一つです。だからといって、ゴーストタウンのような物寂しさはありません。車や船の往来が人の気配を漂わせ、街の喧騒が聞こえてくるかのようです。手書きの質感からは太陽の陽ざしの温もりが感じられます。

YUJI

突如生まれた極彩

八重樫が19歳の時、美術家が主宰する造形教室に参加したことがきっかけで絵画制作は始まりました。小さい頃から塗り絵が大好きでしたが、自分のイメージを何にも描かれていない紙に描くということは、それまでほとんどなかったそうです。造形教室で紙を渡された八重樫は、初めて一から自分で何かを創造することになりました。そして紙面に現れたのは、色鮮やかに塗り込まれた独創的でエ

八重樫 道代（やえがし・みちよ）

1978年生まれ　岩手県在住

無垢なイマジネーションから生まれた独創性豊かな絵画。

〈宇宙船〉

ネルギッシュな描画でした。彼女のなかにこれほどポップで豊かな色彩感覚と、卓越したデザインイメージが存在していたことに驚かされます。八重樫は発色のよい水性マーカーを使い、時間をかけ丹念に色を塗っていきます。紙面には、か

たちがひしめくように緻密な部分があるかと思えば、大きな枠線と色彩で大胆に描く部分もあり、それらのバランスが八重樫独特の構成美を生み出しています。枠を描き、色を塗るという手法は、どこか塗り絵とも通じるところがあります。

〈天気予報〉

枠と彩色という手法は、元々好きだった塗り絵の影響？

〈チャグチャグ馬コ〉

構造美と色彩美が交じり合う卓越したデザイン！

〈やさいのなかま〉

「絵はこう描かないといけない」という固定観念や経験則に縛られることがなかったであろう八重樫は、独創性と想像力を高い純度のまま紙面に表出できたのです。しかし、残念なことに八重樫はその後体調を崩し、近年は制作をしていません。

淡く柔らかな、終わり

稲田は鉛筆削り機やコーヒーミルを回すことが好きで、いつまでもぐるぐると回しているといいます。「回す」「円を描く」「繰り返す」、彼女がこれらの行為のどこに惹きつけられるのかは分かりません。しかし、それらは彼女が絵を描く際に紙面に転化し、彼女独自の表現へと繋がっていきます。2006年から福祉施設のアトリエメンバーとなった彼女は、色鉛筆と紙を渡されると、ぐるぐると線を描き、それが現在のスタイルとなっていきました。その日の気分でいくつか色鉛

稲田 萌子（いなだ・もえこ）

1985年生まれ　東京都在住

日常のなかの回す動作が紙面のぐるぐるに繋がった。

筆を選び、数本まとめて持った中からさらに１本を選んで、時折色を変えながら、ゆったりとしたペースで絵を描いていきます。色鉛筆が紙に擦れる感触を味わい、繰り返すこと自体を楽しんでいるようにも見えます。音楽が好きで、独自のリズ

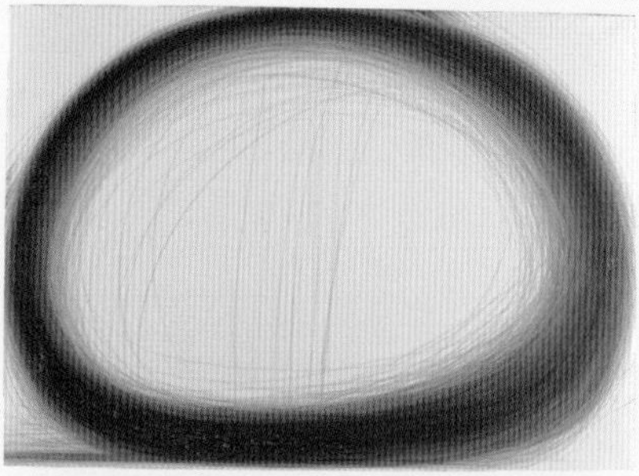

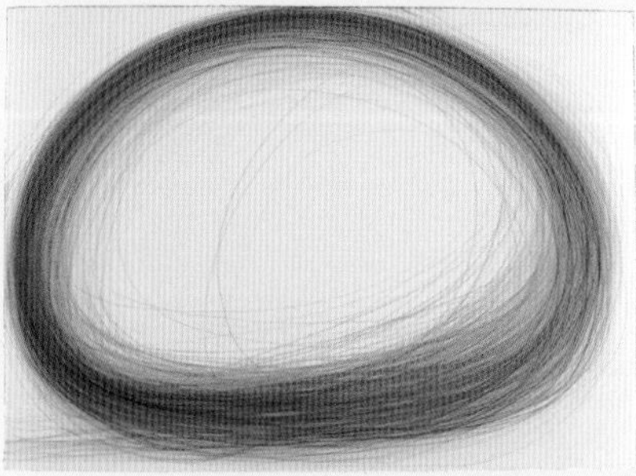

色の重なりが生んだ、吸い込まれそうな空間の広がり。

ムで繰り返す行為の集積が作品になっていきます。作品は、幾重にも円が重なり合い、色の重層感が生まれることで、奥行きのある立体的な円形が表出し、見る者に円の中心へ引き込まれるような不思議な感覚を起こさせます。円の他に、カ

ゆったりと楽しみながら続けられる至福の制作時間。

ラーインクで描く水玉の作品等も制作しています。題材に選ぶ「円」。それは、終わりなきぐるぐるの世界に、好きなだけ浮遊し続けられる場所。稲田が描く円の柔らかな印象は、彼女の「好き」がかたちになったからなのかもしれません。

四角に込めた美しき

美濃部には独特な制作ルールがあります。活動する部屋に入ると一度席に着きます。その後、描画用の紙を準備するために立ち上がり、また席に着きます。次にペンを準備するために再度立ち上がって、また席に着くというものです。この一連の行程を終えてから、絵を描き始めます。制作スタイル、そして彼が描いた作品からは「規則正しさ」への強い意志が感じられます。描画も、独自のルールに則って進められます。まず「小さな枠を描き、そのなかに仕

美濃部 責夫（みのべ・せきお）

1968年生まれ　三重県在住

全体的な色合いから細部にフォーカスして見てみよう。

切りのようなものを描き、最後に細かな縦線で埋め尽くす」という工程を何度も繰り返していきます。これらの決まった工程を経て、繊細で美しい絵は生まれているのです。配色は作品ごとにあらかじめはっきりと決まっており、たとえさま

ざまな色のボールペンが傍らにあったとしても、最初に決めた色から変えることはありません。描く手順から配色に至るまで、確固とした美濃部のセオリーが存在しています。一定であるということは、美的感覚や安心感とも深い結びつきを

よく見ると、小さな四角と無数の線で構成されている。

一つひとつの枠は、同じように見えて違う様相をしている。

持っています。彼は紙面にベタッと顔を近づけ、一つひとつの線を愛でるように描きます。休日も、誰かが声をかけない限りひたすら絵を描くことに没頭して過ごすのです。A4 サイズくらいの作品だと、6 か月程かけて制作されます。

浮かび上がる瞬間の

18歳の頃、社会に自分が存在する意義、そして生きる意味を見出すことに苦悩した佐藤は、仕事をすることが困難になりました。そんな彼女に母親が絵を描くことを勧めたのが、制作の始まりでした。自宅の居室に創作専用のアトリエスペースを設え、ほぼ毎日、朝から夕方まで制作に向かいます。モチーフは、象、鳥、魚、恐竜、花などさまざま。そして、紙面には佐藤の美しい色彩感覚が表出します。作品のなかにひしめく形とポップな色彩との調和は、特有のルールに則って生み出されています。画材は主にアクリル絵の具や水性ペン。

佐藤 朱美（さとう・あけみ）

1981年生まれ　北海道在住

ちりばめられた動物たちは、まるでパズルのよう。

〈トロサウルス〉

絵の大枠を象るモチーフは、図鑑などから自由に選んでいきます。また絵のなかに現れる不思議なかたちと混じりけのない刺激的な配色は、彼女いわく「頭のなかに見えてくるイメージに従い、描いている」ということです。すなわち、彼女

〈尾長鶏〉

が“考えて”配色を決めているのではなく、“(色が)見える”瞬間まで絵を眺めながら待っているのです。色が“見える”瞬間が訪れるには、寸時の場合もあれば、半月程かかる場合もあるといいます。色が“見えてこない”時はその部分が一度見たら忘れられないポップでエネルギッシュな色彩！

〈エキサイト〉

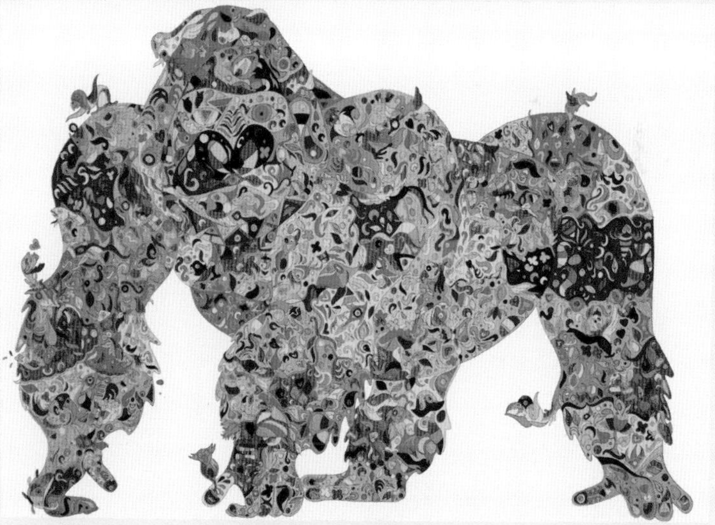

〈ゴリラ〉

線のキワまで正確に均一に塗られている。

最後まで残ってしまい、“見える” までじっと待つのです。興味深いのは、彼女自身、どの部分から色がついていくかわからないということです。佐藤の描画は“見える” というリレーを繰り返しながら、完成へと向かっていきます。

アール・ブリュ 誕生の軌跡と 可能性

20世紀初頭、美術的価値がある作品とは、正統な美術教育を受け、高度な技術を持つ人たちによってつくられたものであり、それを理解できるのも高い教養と審美眼を持つ人たちだけであるという考えが一般的でした。

一方で、20世紀はさまざまな芸術運動が起こり、新たな表現が熱心に求められた時代でした。そうした時代背景のもと、アール・ブリュットと呼ばれる作品にもまなざしが向けられるようになったのです。

1901年に生まれたジャン・デュビュッフェは若い頃から画家を志しながらも、家業や兵役のために紆余曲折し、思いを叶えた時はすでに41歳でした。しかし、多彩な文化人との交流や戦時下の混乱した社会情勢を経験したその期間に、彼は真実を見抜こうとする独自の批判的思考を深め、西洋美術の伝統的価値観に疑問を抱くようになっていました。美術教育を受けずとも、人間にはそもそも表現したいという欲求があり、社会の評価など気にも留めず衝動のままに作品をつくる人たちは必ずいて、そうした人びとがつくるものこそが真の芸術であると考えました。

そのような確信を得たのは、23歳の時でした。ドイツの精神科医・美術史家であるハンス・プリンツホルンの著書『精神障害者の造形』に掲載された作品を目にし、それ

ット
未来への

らのむきだしで、野生的、そして奇想天外な創造性に衝撃を受けたのです。それ以来、デュビュッフェは、精神障害者や受刑者、霊媒師など社会の周縁にいる人たちの作品を調査したいと考えるようになりました。

1945年、デュビュッフェはスイスの精神科病院や刑務所などを周遊しました。旅を続けるなかで、彼は未知の表現者によるたくさんの作品に出合いました。自らの内側から湧き上がるような表現、固定観念に縛られない本能的で独創性に富む発想、ただひたすら制作に向かうエネルギーと必死さ、見たこともない新しい造形など、それまで主流とされてきたものとはまったく別のところに、素晴らしい芸術の世界があることを発見したのです。この旅先で、デュビュッフェは友人の画家に宛てた手紙で、初めてアール・ブリュットという言葉を記しました。

「わたしは無名の芸術《ラール・オブスキュル》よりもなまの芸術《ラール・ブリュット》という言葉を選びました。職業的作家の芸術の方がずっと奥が深くて明晰である、とは思えないからです。むしろその逆です。こんなことを言うと混乱をまねくかもしれません。わたしは駄目なものを弁護すると見られてしまうかもしれません。どうしてあなたは、原石のまま《ブリュット》の金は、偽の金よりも偽物だとお書きになるのですか。わたしは金時計の側よりも天然のままの金塊の方が好きです。なまの、あたたかい、しぼり立ての水牛のミルク万歳」(※1)

フランス語の「ブリュット(brut)」は、加工されていない、生のまま、自然のままという意味の形容詞です。ダイヤモンドの原石を「ディアマン・ブリュット」と呼び、ほぼ無添加の自然な辛口のシャンパンを「ブリュット・ナチュール」と呼ぶことから、「ブリュット」という言葉を着想したようです(ジャン・デュビュッフェは元ワイン卸商でした)。

調査旅行から戻ったデュビュッフェは各所を奔走し、

1948年に60名ほどの会員を募ってアール・ブリュット協会を立ち上げ、作品の紹介（展覧会の開催）や作品蒐集に精力的に取り組みました。

デュビュッフェはアール・ブリュットという言葉をつくることで、既存の美術領域には属さない、独創的で創造性の高い制作を行う無名の表現者たちの存在を言語化しました。そして作品を人々に紹介することで、その存在を可視化しました。存在すらしないとされていたものを表出させるために、そして存在しているのに名前がないものを捉えるために生み出した言葉こそ「アール・ブリュット」だったのです。

デュビュッフェはアール・ブリュットを通じて、美術の権威主義的な価値観に疑問を投げかけ、芸術に対する固定観念を揺るがせ、「芸術とは何か」を社会に問いかけたのです。

1946年、画家ジョルジュ・ブラックは、訪ねて来たデュビュッフェに「芸術家や詩人の役割は、まさしく惰性的な枠にはまった考え方を掻き混ぜ、ばらばらにすることであり、それによって元々持っていた率直さ、清新さを視覚に返してやることだ」(※2)と言いました。デュビュッフェがこの言葉に深く感動した様子が、友人への書簡に残されています。この言葉はアール・ブリュットに傾けた彼の情熱の源泉にあるものを表していると言えるでしょう。

今日では、美術教育の有無にかかわらず、さまざまな背景を持った人が自由に表現をし、それらを受容する社会的な土壌が築かれ、芸術の捉え方も大きく変容しました。そして現代社会では、今まで以上に多様な個性が活躍するようになりました。そのなかで、アール・ブリュットは、依然として、人が表現することの意味を問い、思考を促しています。また、社会が求める同質性への反発心、独自性や多様性の素晴らしさなど、世界や社会に分断を生む境界や枠組みへの疑問を投げかけています。

作品を通して浮かび上がるさまざまな事象について考え、議論する共有地（プラットフォーム）としての役割を果たすアール・ブリュットは、これからの芸術文化を育むだけでなく、異なる他者を理解し、共生していくためのシームレスな未来社会を拓くカギになると考えています。

※1『評伝ジャン・デュビュッフェ　アール・ブリュットの探求者』末永照和、青土社、2012年、112頁　※2 同上、75頁

ART BRUT

かたち

枠のない想像から生まれる「かたち」の宇宙

増殖する線が織り

線と線が織りなす、繊細なレース編みを彷彿とさせるようなモノクロの建造物。窓や屋根、外壁のような構造は、はっきりとは描かれていません。しかし、線と線を緻密に格子状に交わらせる巧みな表現は、抽象的でありながらも、建造物のゴツゴツした質感や立体感、窓や屋根などの雰囲気を見事に伝えています。そしてまるで蜃気楼に現れた建物のような妖しげな魅力を放っています。KATSUは幼少期から絵を描くことが好きでした。中学生の頃に点描画に出合ったのがきっかけとなり、現在のような建造物の表現に繋がっていったといいます。サグラダ・ファミリアやフンデルトヴァッサーハウスなどの建築にも興味があり、制作イメージの参考にしています。KATSU の描画は、建築に見られる空間格子を

なす建造物

KATSU（かつ）

1987年生まれ　滋賀県在住

下から上に重ねた線が、二次元から三次元を生む！

〈高層ビル〉

紙面で行っているようです。線と線を格子状に交わらせ、組み合わせることで二次元から三次元を生み出し、建物に奥行きを与えて紙面に躍動感を創出しています。細さの違う油性ペンを使い分け、下から上へと独自の建造物を紙面に建設

〈メトロポリス〉

（創造）していくのです。描き始めから完成形のイメージがあるわけではなく、その時々の感覚で描きたいように描いていきます。KATSU は福祉施設で制作をしており、描画の他に戦艦や戦闘機などの立体作品づくりにも勤しんでいます。

じっと見ていると、屋根や窓のようにも見える線。

〈ベイタウン〉

完成してからも、まだまだ成長していきそうな生命感。

左〈ウッドタワー〉右〈タワーシリーズⅣ〉

極細の光の粒が描

細かく不思議なかたちをした幾何学模様の絵画。木村の制作時と同じ距離感で紙面に向かい合ってみても、これらの幾何学模様が何を描いたものなのかはわかりません。しかし、作品の全体を眺められる距離まで離れて見てみると、木村が描いていたものが現れます。そして、その描写力に驚かされるのです。木村は、通所している支援施設で絵を描くようになりました。モチーフは、大相撲、稲荷神社、お祭り、東京タワー、写楽、日本家屋などさまざま。イラストボードやパネルに水張りした画用紙（主に50

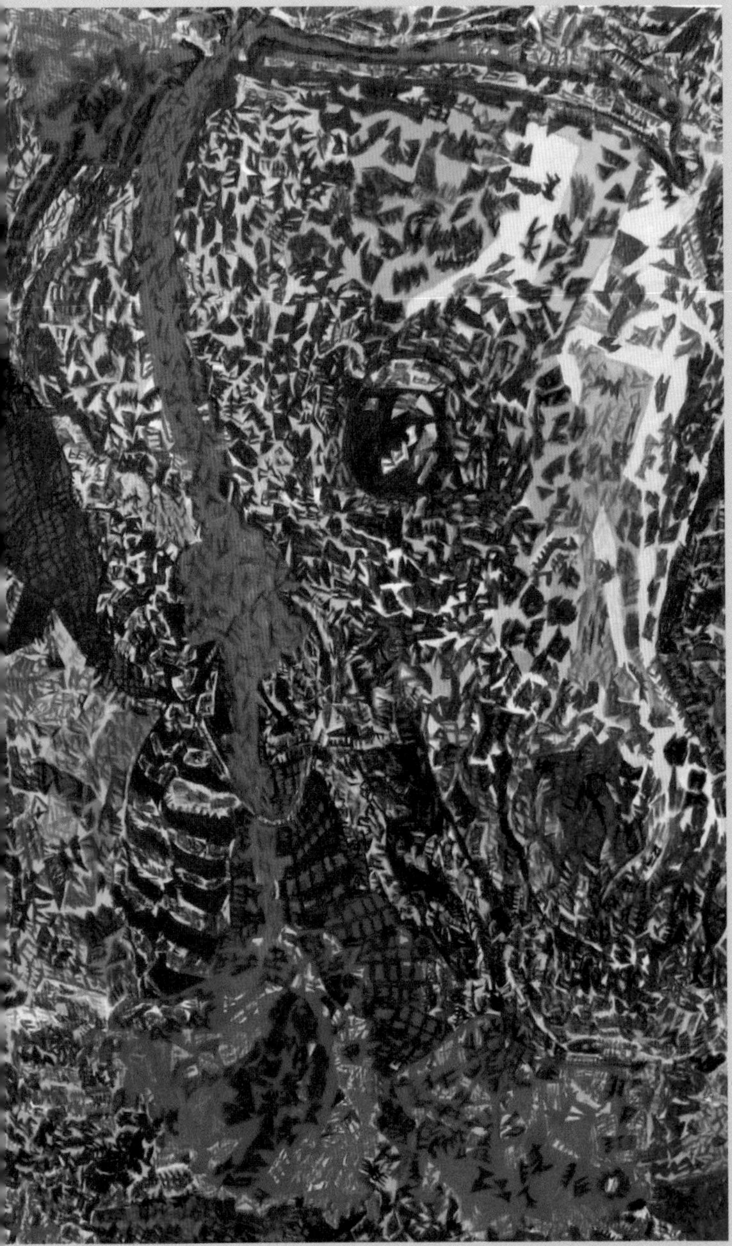

〈駈馬神事〉

木村 全彦（きむら・まさひこ）

1984年生まれ　京都府在住

幾何学模様で形成された紙面から浮かびあがる立体。

号大）など、小さいサイズから大作まで、色鉛筆を濃密に塗り込んで描きます。絵の題材は施設職員と一緒に雑誌や図録などから選び、その写真と自分の絵を見比べながら描き進めていきます。彼にとっては模写なのかもしれません。

画面を構成するくさび形にも謎がいっぱい。

〈黄色い車〉

しかし、それは題材を正確に描き写す模写ではなく、木村の極細を捉える視覚を通して見たものが描かれるのです。カメラ写真が被写体を粒子の集まりで構成するように、木村の絵もまた世界を光の粒で捉えているようです。その光を表現し

〈ロンドンタクシー〉

〈東京タワー〉

〈大相撲〉

モチーフの躍動感を表現する無数の光の粒。

た幾何学模様を組み合わせることによって、陰影や立体感を、躍動感溢れるタッチで表現しています。紙面に近い距離で描いている時、全体像は掴めないにもかかわらず、不思議とこのような奥行きのある作品に仕上がるのです。

百鬼夜行を彷彿とさせるような紙面は、実にコミカルで独創性に富んでいます。日本の説話などに登場する百鬼夜行とは、鬼や妖怪などの化け物が深夜に列をなして出歩く様子を指しますが、鵜飼が描く絵画にはさらに多彩なモチーフが登場します。鬼や妖怪、恐竜やロボット、昆虫、動物、骸骨、絵本や漫画・アニメなどのキャラクター。それらが混在して描かれる作品は、ポップでシニカル、そして躍動的な一

時空間を超えた世界の創生

鵜飼 結一朗
（うかい・ゆういちろう）

1995年生まれ　滋賀県在住

多様なモチーフが混在しながら紙面を埋め尽くす、躍動感あふれる描画。

〈船〉

体感を漂わせています。鵜飼は2014年から福祉施設に通い、制作をしています。図鑑を見ることが好きで、バラエティ豊かなモチーフはそのなかから選んでいます。一見、一緒には

〈船〉

時代や現実・空想も入り混じる雰囲気はポップでユニーク。

描かれなさそうなそれらのモチーフを組み合わせ、多様なモチーフが紙面を共有することで、鵜飼の独特な世界観が創出されています。また一つひとつのモチーフは、同じ画面のなかに大小さまざまな大きさで描かれています。そのことによって紙面には奥行きが生まれていますが、一方で所々不規則に異なる大きさのため、遠近感はつかみづらくなっています。このトロンプ・

遠近感がわからなくなる迷宮のような不思議な空間構成！

左、上2点〈船〉

ルイユ（※フランス語で「眼をだます」の意。トリックアート、だまし絵のこと）を思わせる不思議な空間構成も作品の特徴です。鵜飼は粘土の制作や、2年ほど前からは施設の壁面への描画も行っています。壁面への創作は気になった部分を日常的に描き足しながら進めています。

紙の奥に秘められた

木村は、福祉施設で月1回開かれるアトリエの時間に制作しています。主題は『うちわ』『注射』『お線香花火』『風船』『スカート』『自転車』など十数個あり、それぞれに決まっている一定のパターンを繰り返しながら描かれます。木村はモチーフの特徴を独自に捉えます。それらのモチーフはデフォルメされ、デザイナブルに表現されていくのです。躍動感あふれる作品『お線香花火』では、光の粒が勢いよく放射し輝いているように見えます。『うちわ』では、うちわの外径を切り取り、うちわがはためいているような印象を受けます。デフォルメされたことで主題との繋がりがわかりにくい作

木村 茜

（きむら・あかね）

1983年生まれ　滋賀県在住

〈自転車〉

描くスピードの速さを物語る、擦れや重なり。

品もありますが、どの作品においても、対象の切り取り方、捉え方が木村にしか生み出せない独創性に溢れています。木村の描画姿は、まるでクラシックダンスの舞踊や振り付けのよう。紙面を舞台に、決まったパターンで油性マジックを走

対象物をユニークに切り取った、まるで踊りのような描画。

〈自転車〉

〈お線香花火〉

上２点〈スリッパ〉

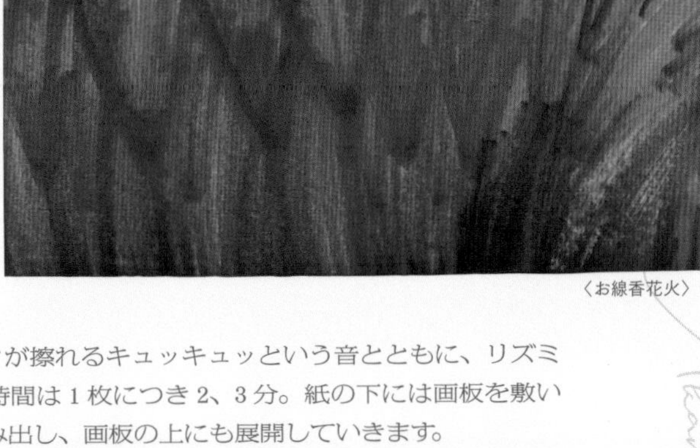

〈お線香花火〉

実際の制作は画板にまで及ぶが、作品として残るのは紙に描かれたもののみ。

らせます。紙面と油性マジックが擦れるキュッキュッという音とともに、リズミカルに描いていきます。制作時間は１枚につき２、３分。紙の下には画板を敷いており、描画は大胆に紙をはみ出し、画板の上にも展開していきます。

縦方向に伸び、押し寿司のようにギュウギュウに詰まった電車の数々。元々は、目で見た通りの電車のかたちが描かれていましたが、徐々に縦方向に伸びて密集する、現在のような描き方に変わっていきました。この描画方法は「いっぱい描きたかったから」という極めてシンプルな理由のためで、これにより本岡独特の作風へと発展していきました。本岡はコピー用紙やチラシの裏面に描き、紙が足りなくなると下側に紙を継ぎ足します。不思議なのは、紙面全体を電車で埋め尽くした作品もあれば、途中で描くのをやめ、大きく余白が残った作品もあることです。一つひとつの電車にはそれぞれ車番が振ってあり、

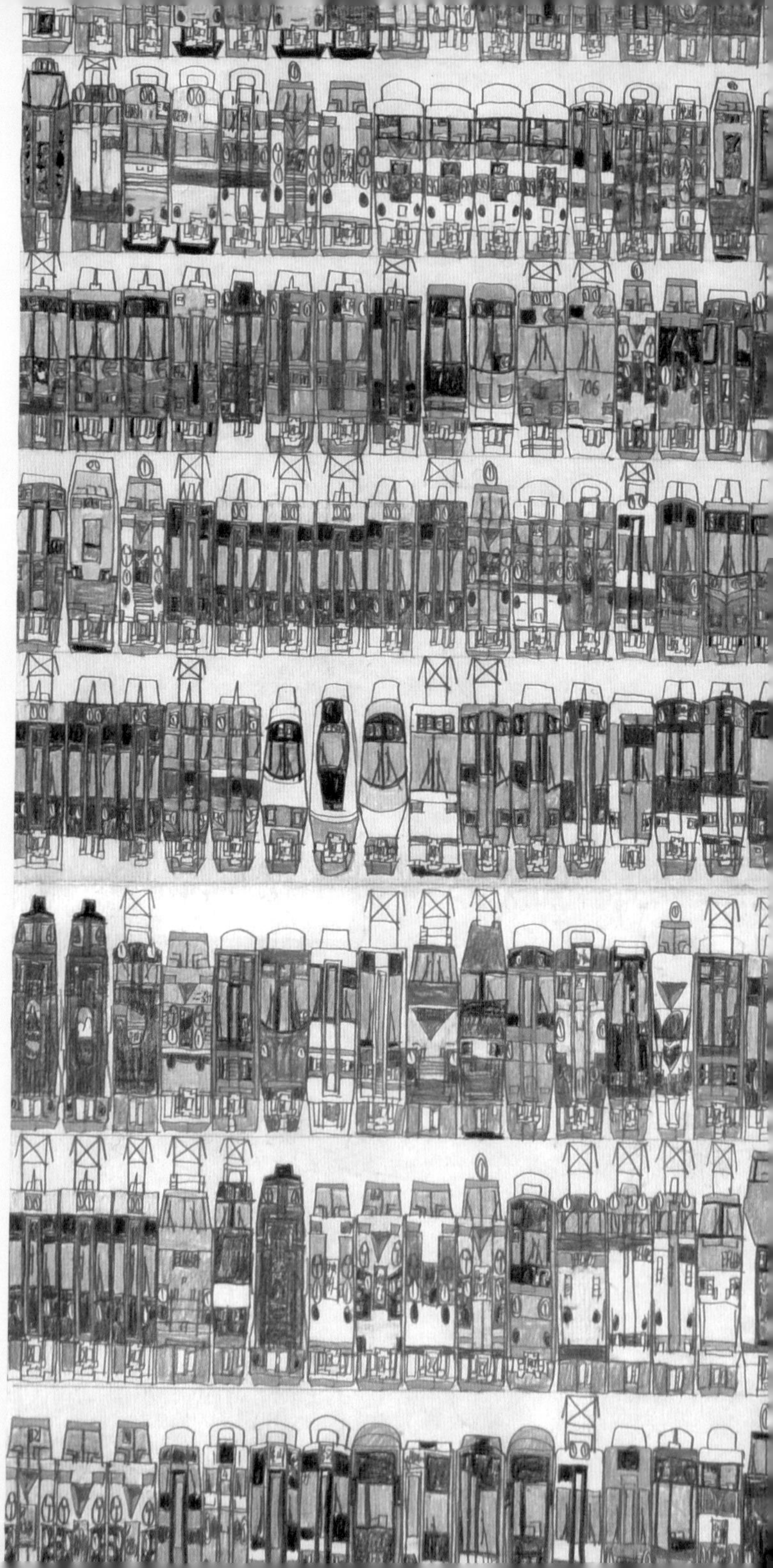

79

本岡 秀則（もとおか・ひでのり）

1978年生まれ　兵庫県在住

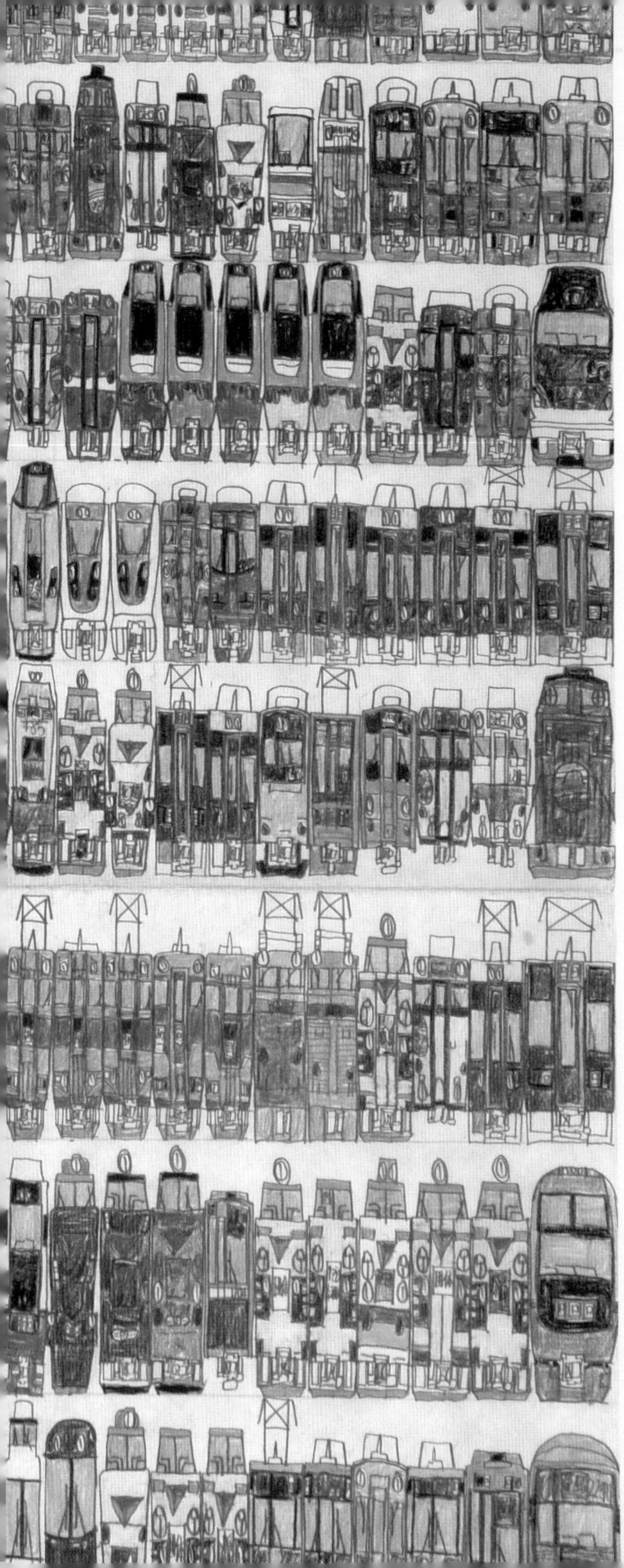

電車のかたちの配列にもルールがありそう。

〈電車〉（部分）

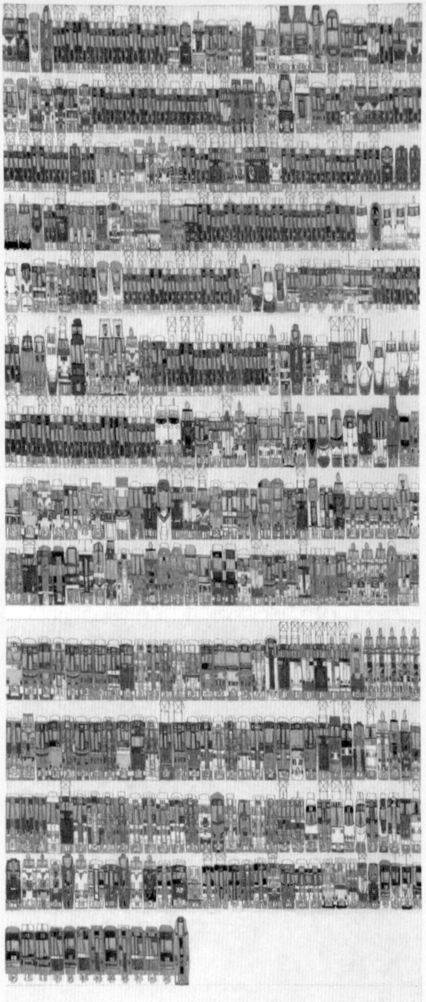

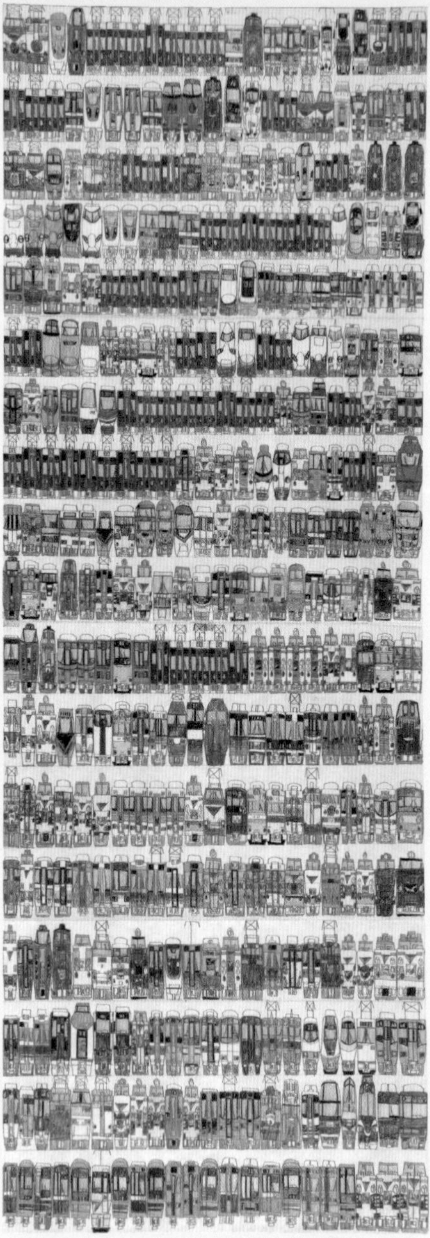

紙を継ぎ足したり、途中で終わったりしていることで不思議な余韻が。

左、中央〈電車〉右〈電車〉(部分)

ある電車を指差して本岡に尋ねると、「これは阪急電車の○○系の車番○○です」と返ってきました。描かれる電車の順番も、途中で終わったかのように見える作品においても、本岡の明確なルールによって構成されているように感じられます。本岡は3、4歳の頃から電車に夢中だったといいます。作品は自宅で制作していますが、休日は、経路を自分で調べて時刻表通りに電車に乗ったり、電車の正面の写真を撮ったりするために方々へ足を運びます。いわゆる乗り鉄、撮り鉄、そして描き鉄と、彼の日常は電車に対する並々ならぬ情熱とともにあります。

フォーカスしたのは暮らし

伊藤は2歳の頃、母が描く絵や工作を眺めて過ごしていました。それが半年ほど続いたある朝のこと。母が起きると、机に向かって絵を描いている彼の姿があったといいます。絵を描く日常の始まりでした。彼には人に「見せる作品」と「見せない作品」があり、ここに掲載しているのは「見せる作品」です。作品『無題』では、モノクロの建物の俯瞰図が緻密な線で描かれています。よく見ると、薄いピンク色の物体が建物の屋上にあることに気づきます。洗濯機です。伊藤は家具や家電製品、とりわけ水回り

を支えるテクノロジー

Ito Hiroaki

屋上に洗濯機がある建物の俯瞰図!?

伊藤 広哲
(いとう・ひろあき)

1977年生まれ　東京都在住

に強い関心があります。母親によれば、家電量販店やデパートの家具コーナーへ行くと、その場を何度も行き来して確認するといいます。生活家電や水回りへの執着や愛着から生まれる伊藤の描写は、現代の生活様式をコミカルに表現していま

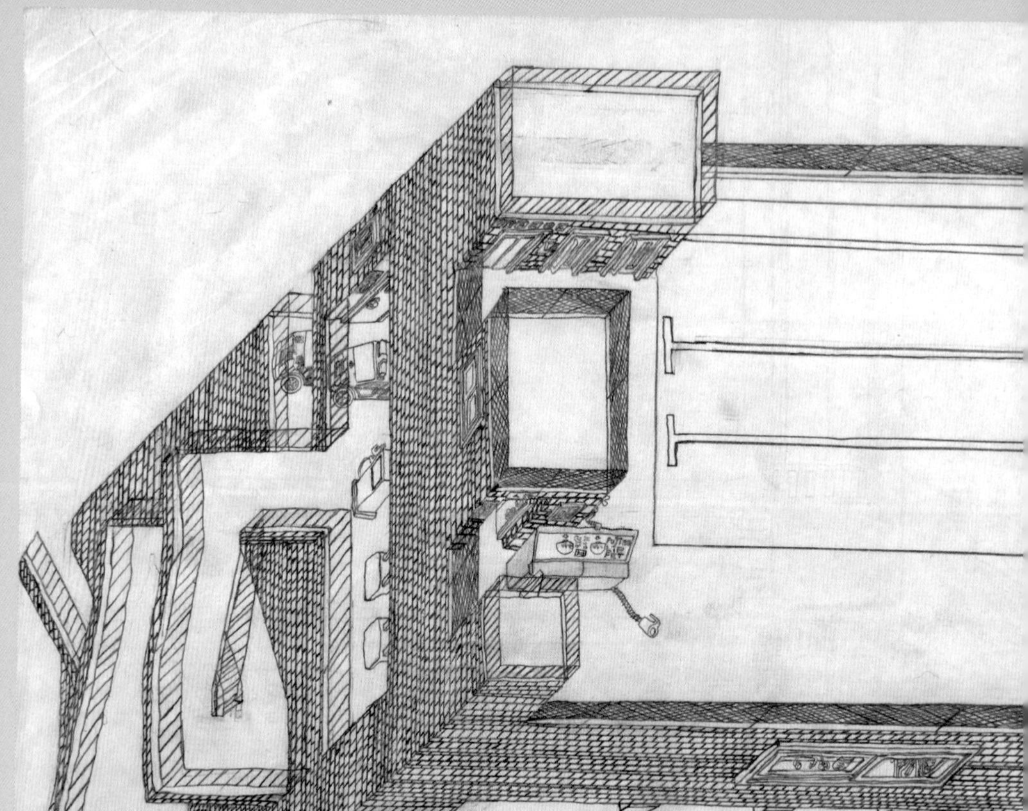

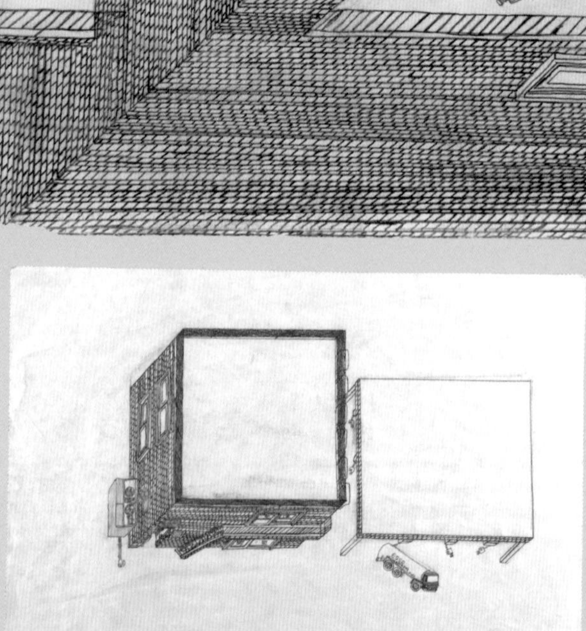

1枚の紙に表現される家電と水回りへの熱烈な愛着。

〈ショールーム Ⅲ〉

〈ショールーム Ⅱ〉

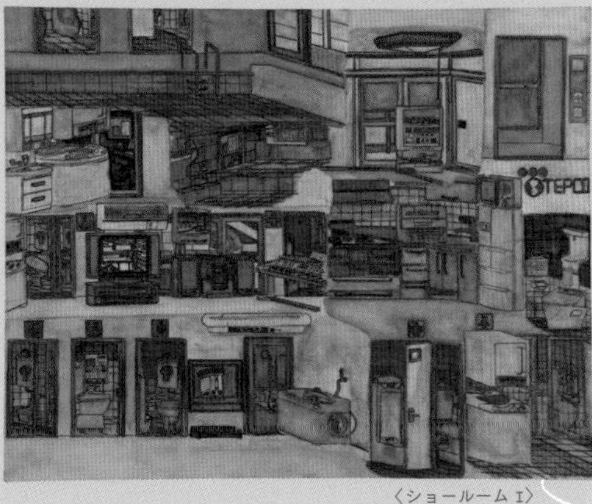

〈ショールーム Ⅰ〉

日常を自由な発想で切り取る豊かな描写力。

す。水彩絵の具で着彩されるカラー作品『ショールーム』シリーズでは、部屋にあるテレビ、洗濯機、電子レンジなどの家電製品、トイレやお風呂、台所などの水回りに関する場所が切り取られ、1枚の紙に描かれています。制作は自宅で行い、新しい作品の制作と過去に描いた作品への修正を同時に進めています。また他の人に見せない作品も制作していることに、伊藤の表現の幅広さを感じます。

荘厳な美しさを放つト

それまで誰も観たことのないかたちで世界の人々を驚かせた澤田。澤田の粘土作品は、時とともにトゲの緻密さや形象が変化し続けています。陶芸を始めたのは福祉施設に通うようになった2000年頃から。初期はトゲがより鋭く、大きく、また密集はせず、配置もバラバラでした。しかし、2010年頃からは、トゲが綺麗に整列することを好むようになります。澤田がなぜここまでトゲにこだわるのかはわかりませんが、彼の制作を長年見つめてきた職員によると、仲間の作品に影響され、次第に

澤田真一

（さわだ・しんいち）

1982年生まれ　滋賀県在住

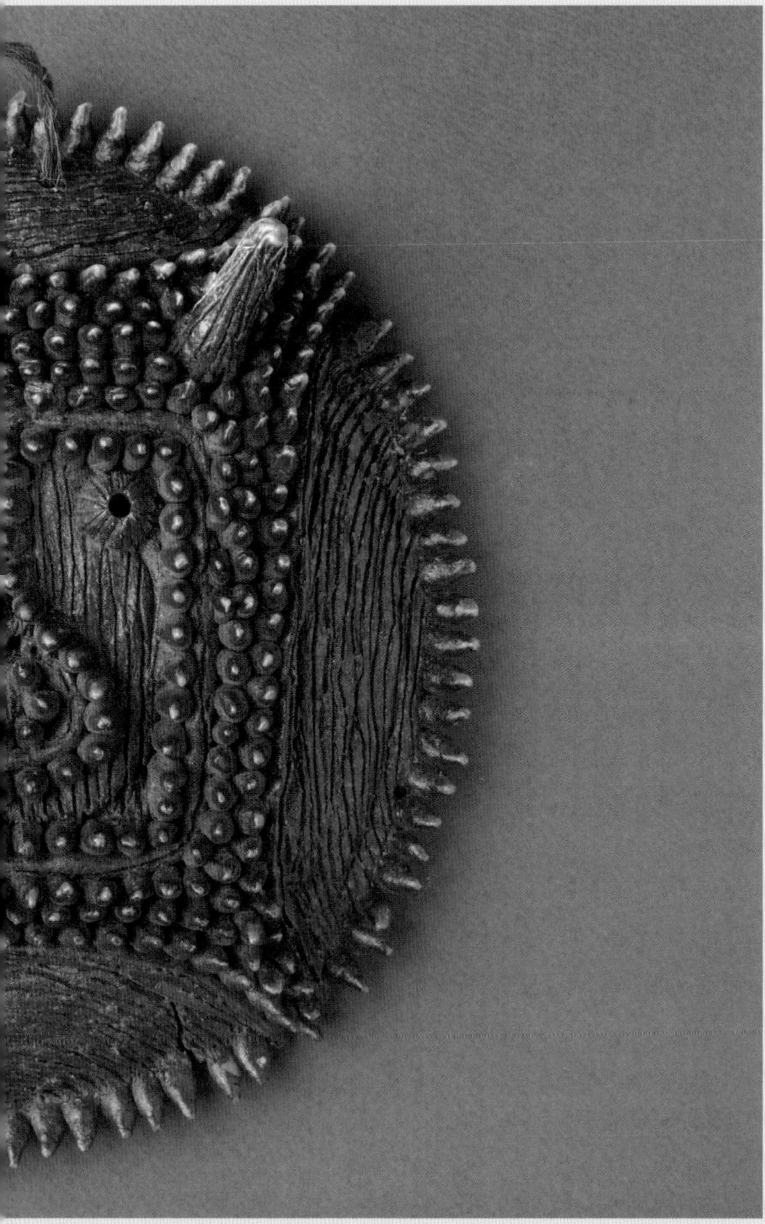

全身を覆うほどのトゲが持つ強烈なインパクト！

独自の制作へと転換させていったのだといいます。モチーフには鬼、龍、にわとり、ふくろう、たぬき、カエル、招き猫、お面、壺などがあります。全身のトゲ

攻撃的なフォルムと相対する愛嬌のある表情。

は、整然と並び、凜とした品格すら漂わせています。全体のフォルムや表情にはどこか柔らかさもあり、縄文土器を思わせます。また自宅では、紙や身の回りに

あるものを使い、乗り物を制作しています。手でちぎった紙を幾重にも貼り合わせて一つひとつのパーツを形成し、スライド式のドアやバスの折り畳み式ドア、

見たことのない無二のかたちなのに、縄文土器を思わせるノスタルジックな佇まい。

トラックの荷台部分の開閉部、ハンドルなど、すべてが実物同様に動くよう研究してつくられています。澤田の制作には強い一貫性がありますが、他者との関わ

身近な素材で精密につくりあげた自動車。

りのなかで変容しつつ、ゆるやかに新たな創造へと挑戦し続けています。作品は2013 年第 55 回ベネチア・ビエンナーレ国際美術展に出展されました。

遊び心満載の実

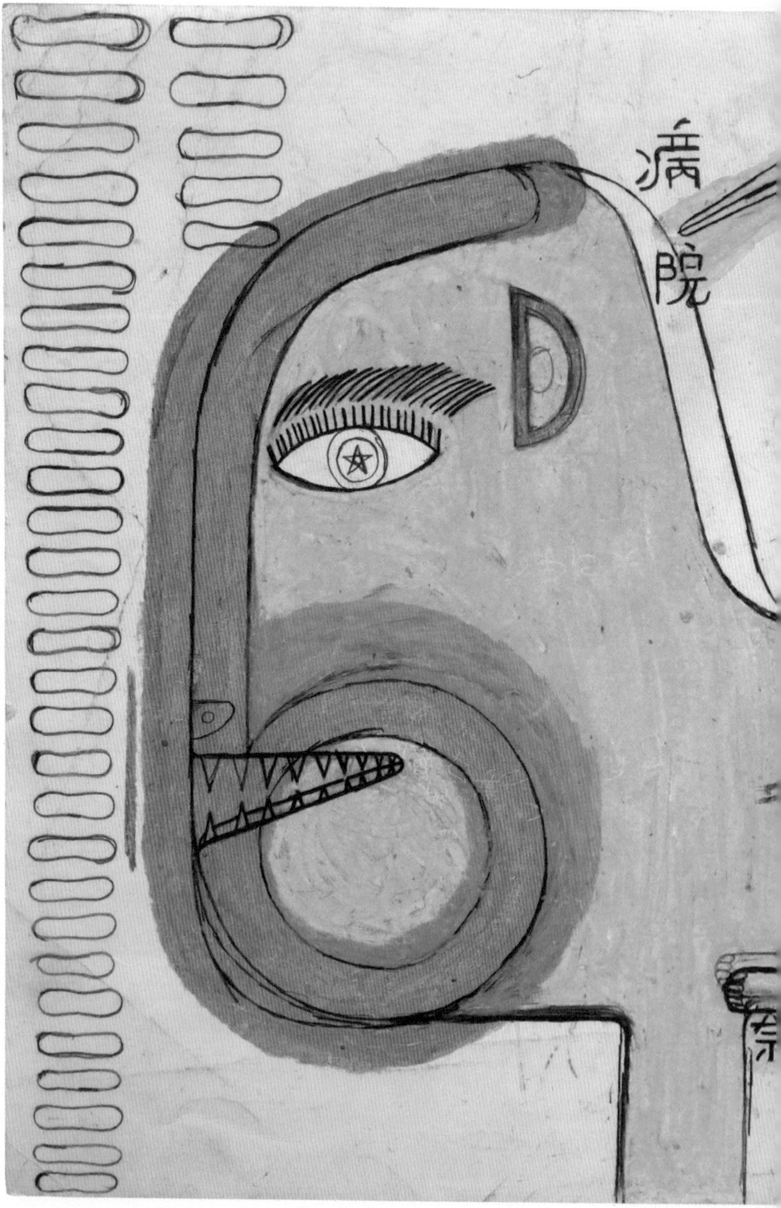

藤田は遊び心に溢れる着想の持ち主で、数字から連想されるかたちを動物に見立てて、描いていきます。例えば、『27のあひるとぞうさん』では、2はアヒル、7は象と、数字のかたちから連想した動物を描きます。1はペンギン、3はインコ、6はライオン、8はパンダなど、数字と動物の組み合わせはおおよそ決まっているようです。背景に規則的に描かれた楕円形は、雲です。時折、太陽が描かれる作品もあります。数字という無機質な存在が動物に変化し、一面の空のもとに描かれる様子からは有機的で豊かな

験室

藤田雄（ふじた・ゆう）

1971年生まれ　奈良県在住

無機質な数字に命を吹き込む実験!?

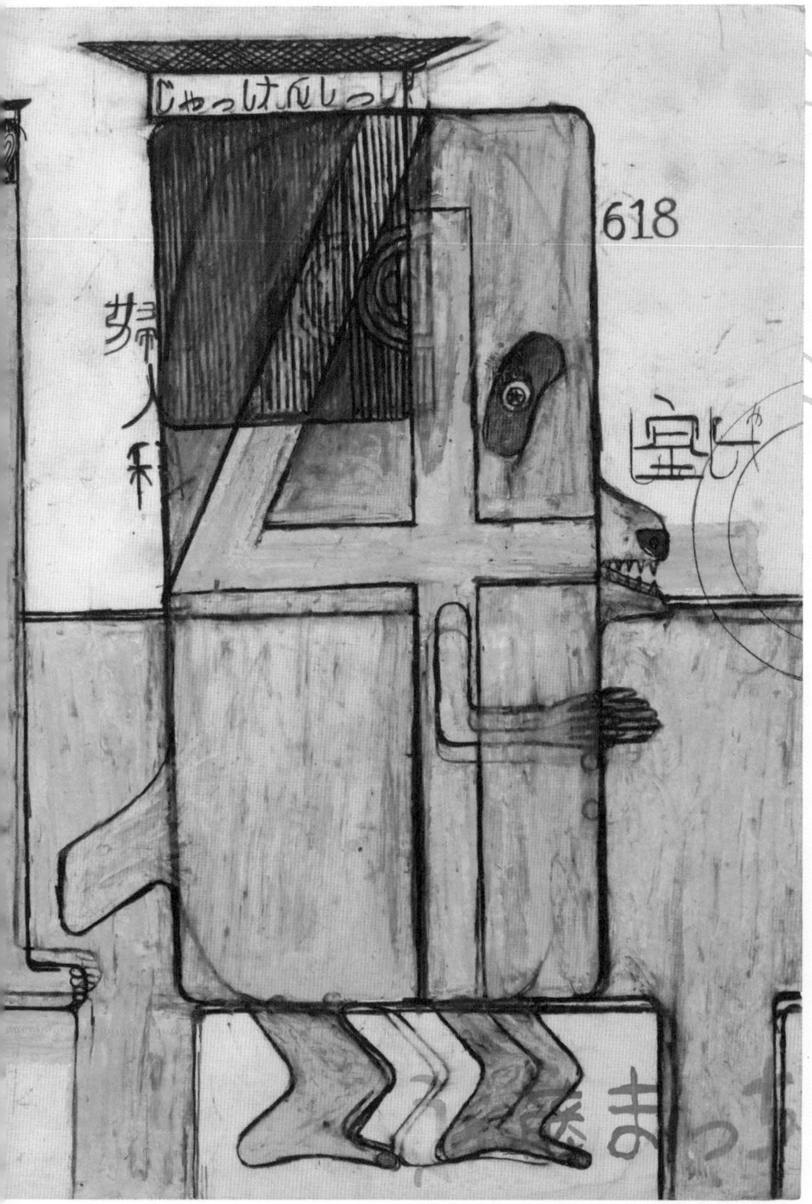

〈614のおかあさんライオンとぺんぎんとぱんだちゃん〉

世界が感じられます。絵のなかに書かれた「じゃっけんしつ」という文字は、実験室のこと。「じゃっけんしつ」とわざと間違えて書くことで、施設の職員に間違いを訂正してもらうやりとりを楽しんでいるようです。数字を動物に変えたり、

〈618 のおかあさんライオンとぺんぎんとぱんだちゃん〉

〈688 のうさぎとぱんだちゃん〉

〈536 のぱんだちゃんとうさぎ〉

〈23 のあひるとインコ〉

〈622 のうさぎとあひる〉

〈28 のあひるとぱんだちゃん〉

〈669 のうさぎとぱんだちゃん〉

〈27 のあひるとぞうさん〉

枠に捉われない「かたち」や「色づかい」。

間違えた文字で周囲の反応を確かめるなど、紙面でさまざまな実験を楽しんでいる様子は、実にユーモラス。「じゃっけんしつ」の文字は動物の頭上にあり、文字を囲んだ枠からは、鉛筆で描かれる格子状の細かな線が伸びています。これは、

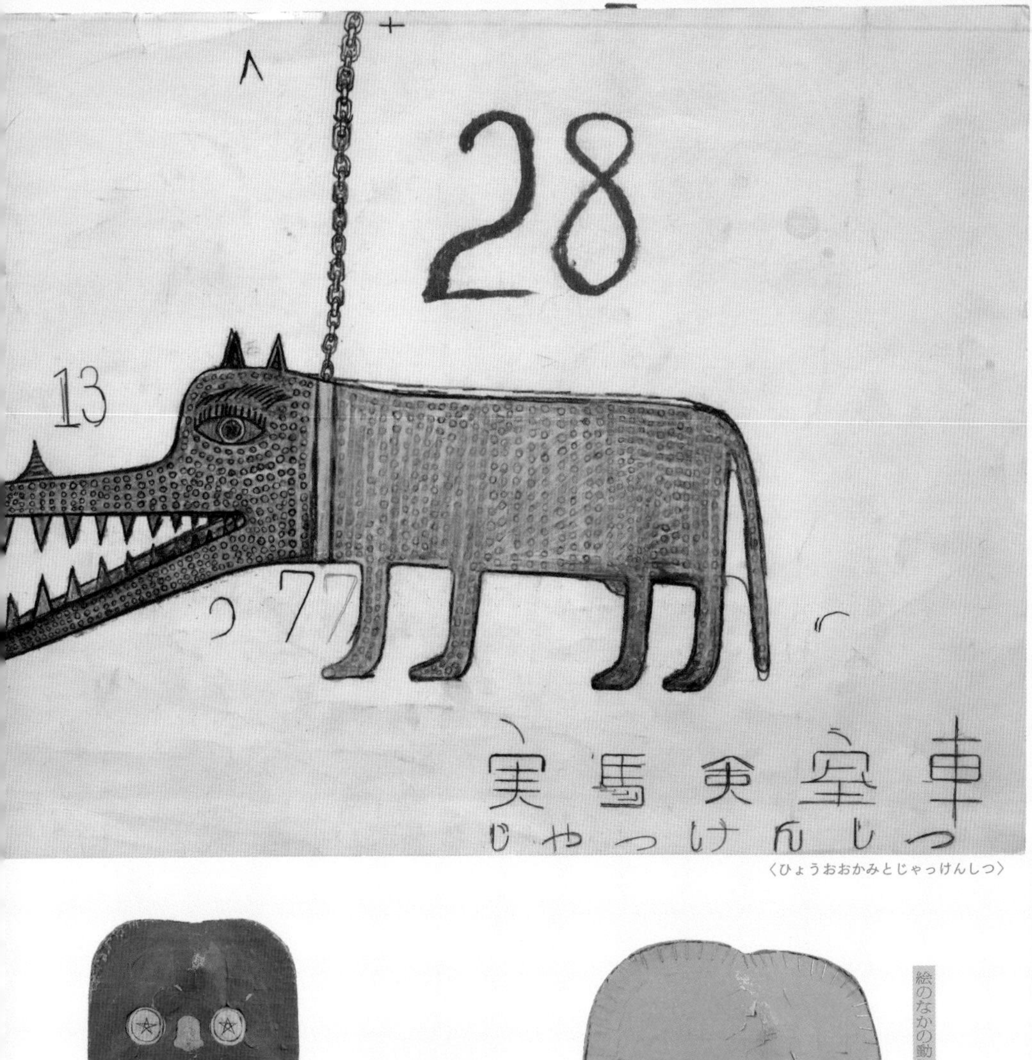

〈ひょうおおかみとじゃっけんしつ〉

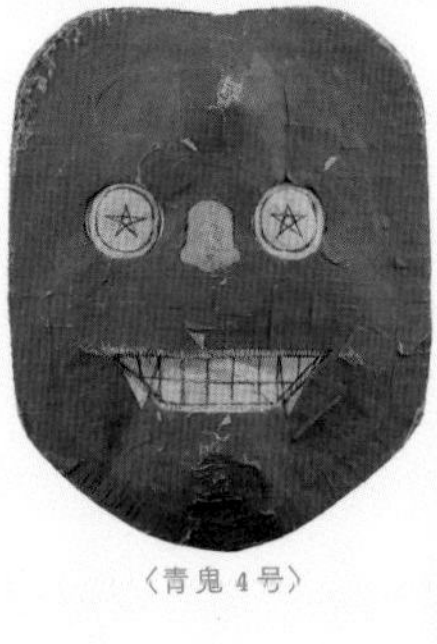

〈青鬼 4 号〉

〈赤鬼 9 号〉

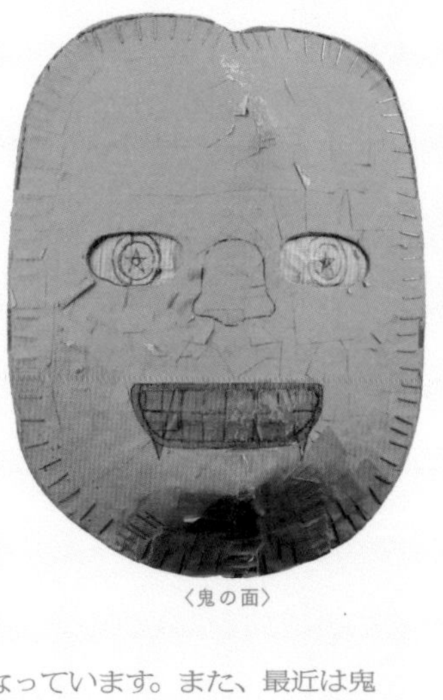

〈鬼の面〉

絵のなかの動物も鬼の面も、きらきら星の目。

藤田が大好きなバスの運転手の帽子がモチーフとなっています。また、最近は鬼の面の制作に楽しみを見出しています。鬼の面でも絵の場合と同様に目は星で描かれており、素材や支持体が変わっても独特の世界観は一貫しています。

幅1ミリにも満たない正確

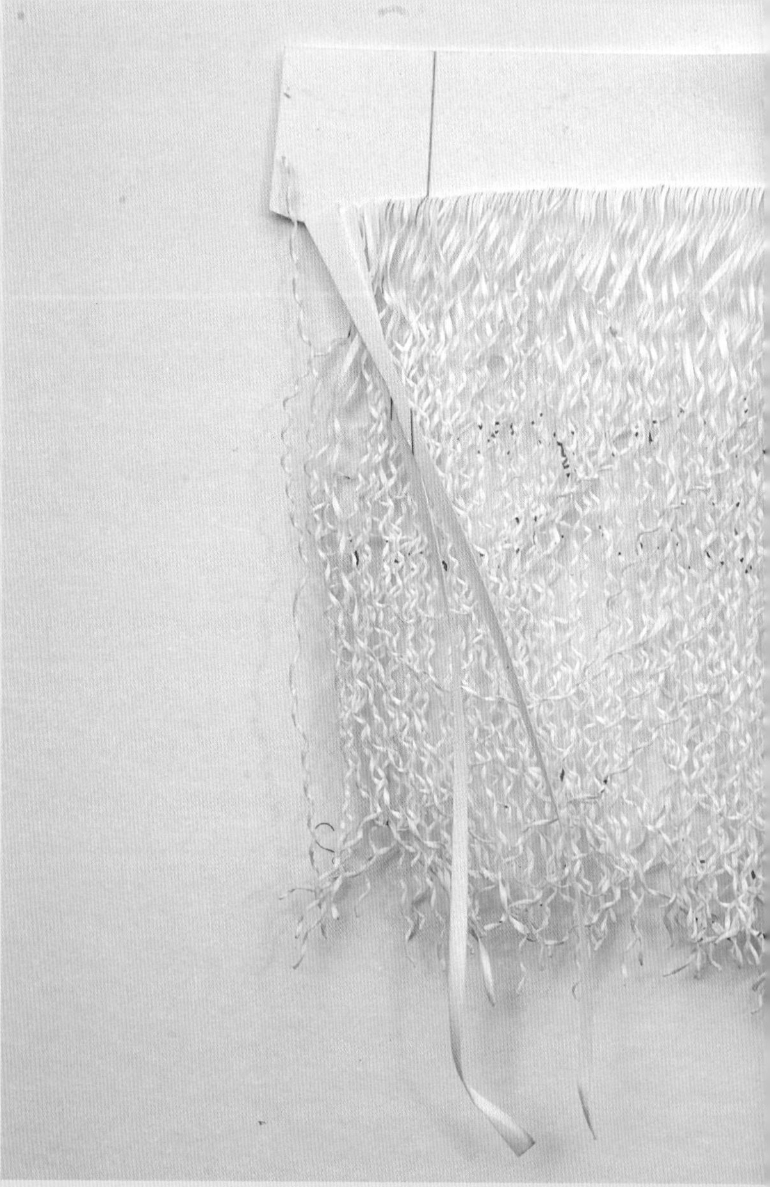

藤岡は広告や展覧会のチラシなどの紙を使い、1mmにも満たない間隔で鯨のひげのように紙を切っていきます。リズミカルに手際よく１本１本を確実に。神業とも言うべき、正確無比な作業です。紙が途中で切れてしまうことはありません。

紙を切る細さに驚かされますが、ハサミに角度をつけ、紙にスパイラル状のクルクルとした動きが出るように切る技術にも目をみはるものがあります。その動作によって、紙は表面と裏面とが双方に絡み合い、より立体的で躍動感のある作品

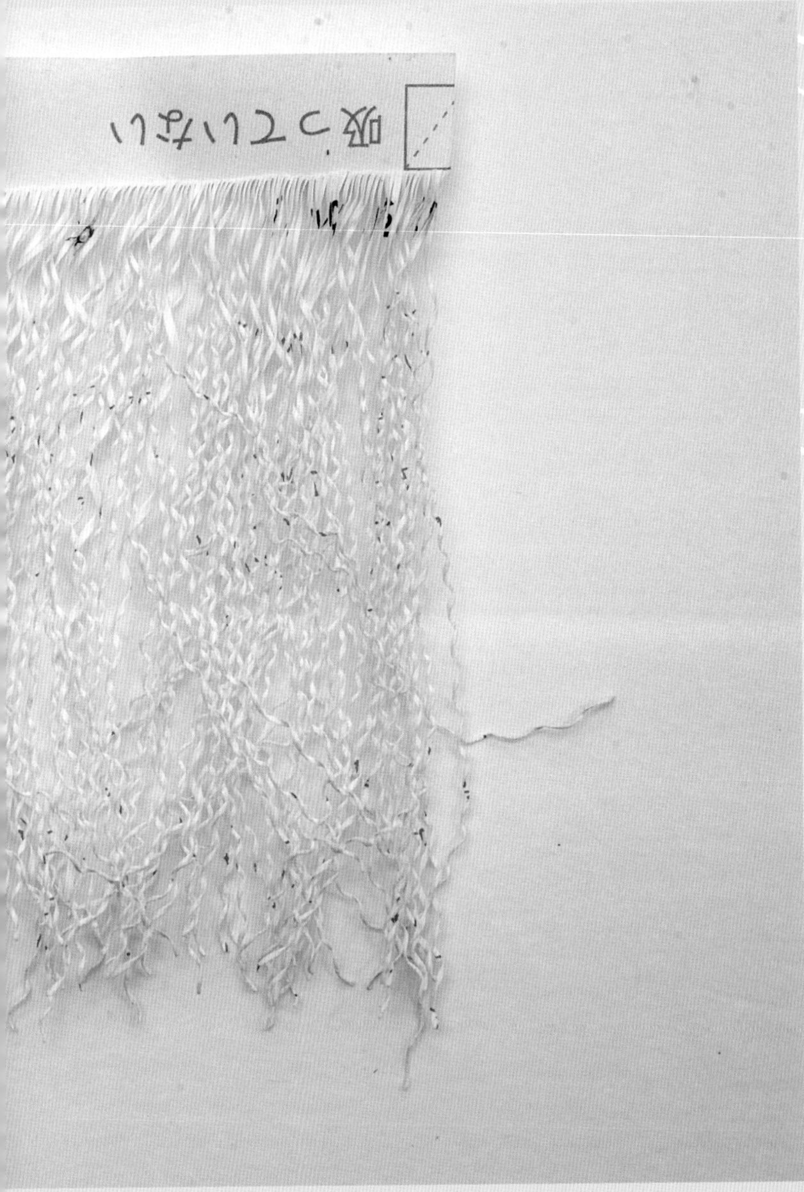

Fujioka Yuki

藤岡 祐機（ふじおか・ゆうき）

1993年生まれ　熊本県在住

切れることなく繋がる、糸の集まりのような極細の切り紙。

が生まれます。片面（または両面）に色を施すのは、表面と裏面の色がスパイラル状に絡み合う美しさを楽しみたいからのようです。最後は、必ず斜めに切り込みを入れて完了します。それが意味するところはわかりませんが、両親によると

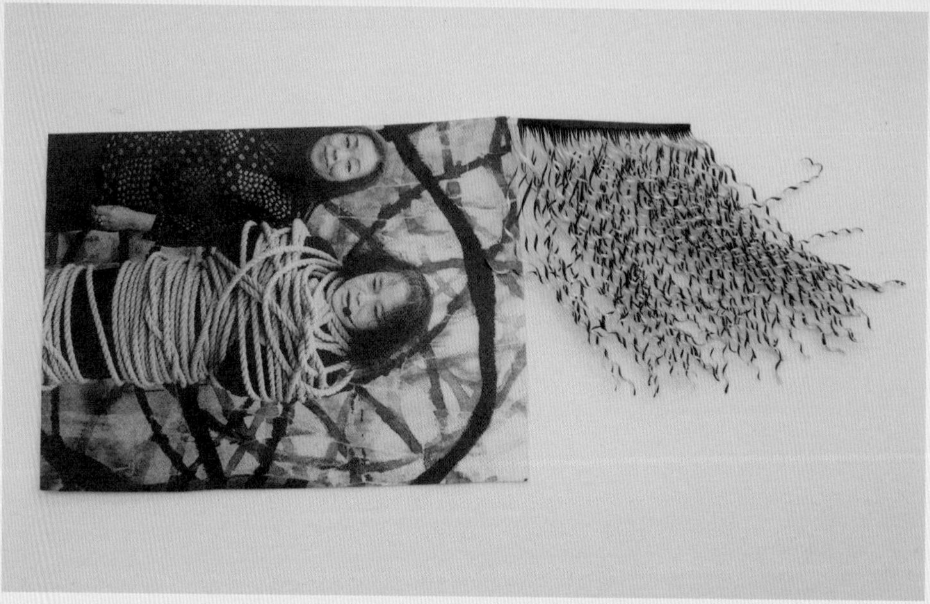

スパイラル状に切ることで生まれた立体感！

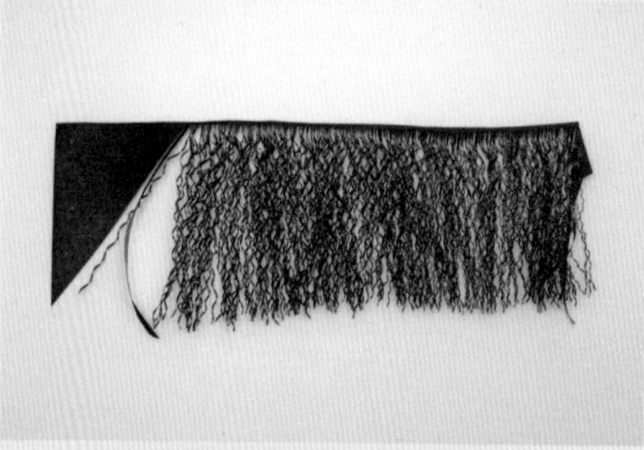

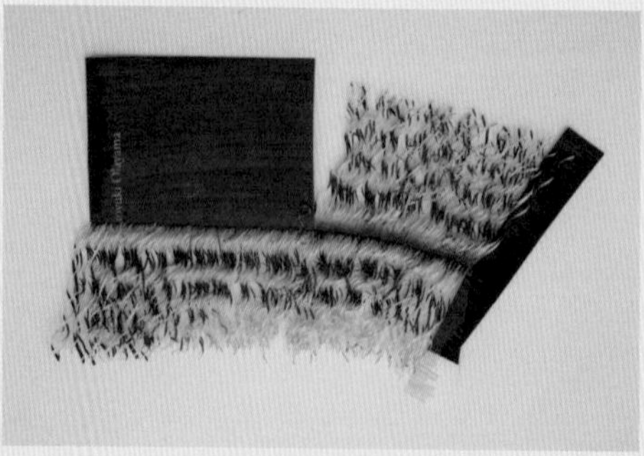

作品が完成した印、または落款やサインの代わりではないかということです。幼少期からハサミで紙を切ることが好きで、抽象的なかたちの切り絵をつくっては家のいたるところに置いていたといいます。現在のような制作が始まったのは

幼少期からハサミで紙を切ることに熱中し続けてきたことが生んだ職人技。

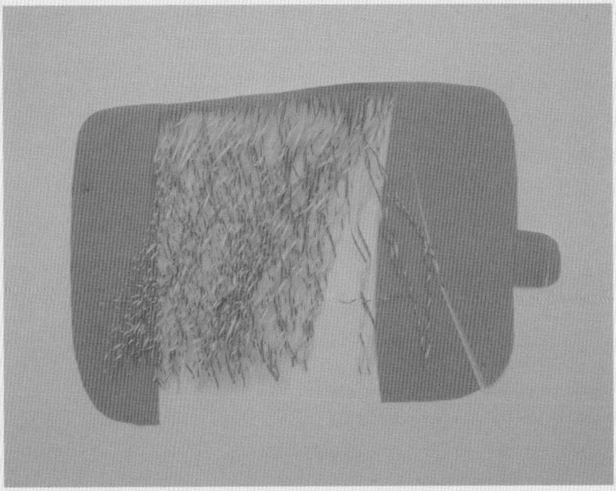

12 歳頃で、紙を切る幅が少しずつ細くなっていきました。藤岡が何をつくっているか、答えを求めることはナンセンスで、創造の源泉とすら言えるような、次々と生み出される類を見ない新たな造形は、純粋に心を引き付けます。

国府田が描いてきた絵の量を見るだけでも、彼女が「絵を描く」という行為にいかに熱中してきたかがわかります。その数は、保管されているだけでも何百枚とあります。彼女の絵にはいくつかのパターンがあり、そのなかでも代表的なものが、平仮名の「お」の点がない文字を、国府田特有の不思議なリズムのある配列で繰り返し書き連ねた作品です。雑然としているようで、紙面全体の調和は絶妙です。この「お」に類似する文字は、国府田が幼い頃、家族が彼女に名前や数字の書き方を教えていたことの名残りのようです。自身の名前に「お」の字は含まれていませ

101

不思議なリズムが奏でる文字の配列美

国府田 良子（こうだ・りょうこ）

1949年生まれ　東京都在住

反復する行為がもたらす調和。

んが、長年書くうちにどこかの文字が変形または合体して、最終的にこの文字にたどり着き、定着したようです（あるいは「こうだりょうこ」の「よ」が変形したものなのかもしれ

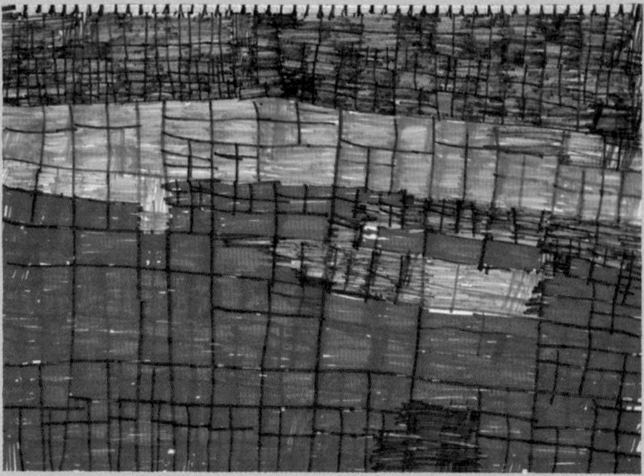

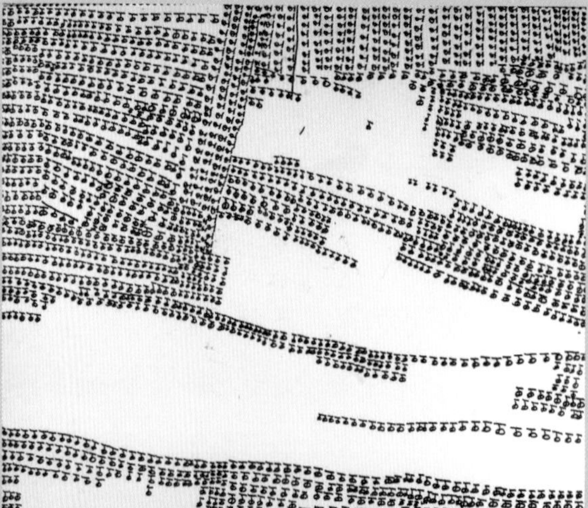

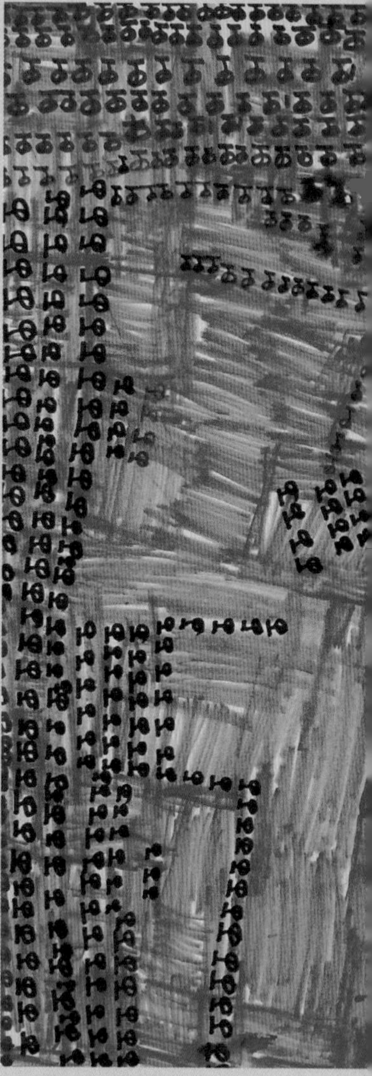

国府田独自の一貫した配列ルールが見える。

ません）。作品によっては、この文字に色を組み合わせたり、色のみで独自の配列を表した絵もあります。国府田は幼い頃から耳が不自由で、ほとんど音が聞こえませんでした。聴くこと・話すことが不自由ななか、彼女は自身が感じる世界

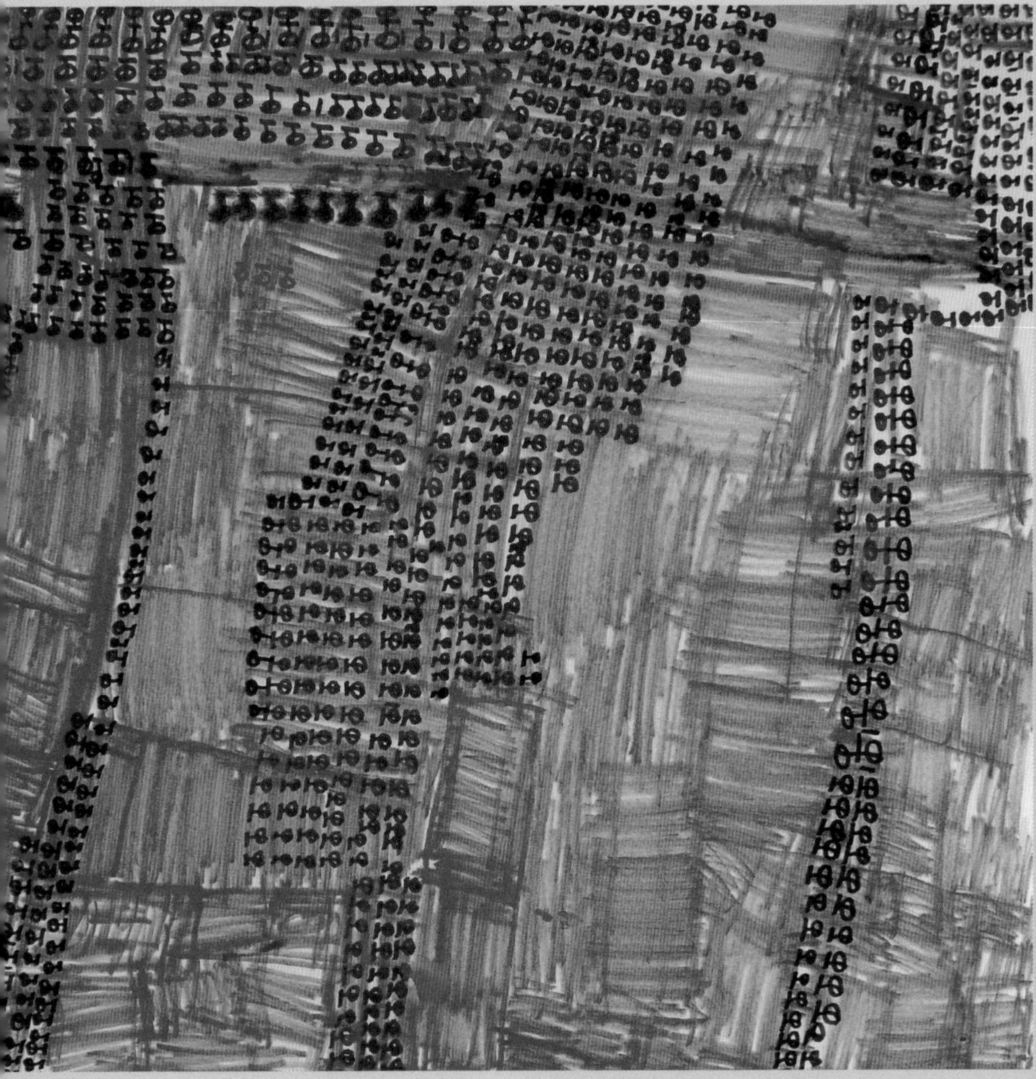

ユニークな文字は、自身の家族との記憶に繋がる。

をその豊かな表現の才のもと絵画へと昇華させたのです。国府田は30代前半から福祉施設に入っており、日中の創作活動で絵を描くようになりましたが、十数年前から視力の低下とともに絵を描くことはなくなりました。

海外から日本の商店街

差異を超えて人をつ

2006年、私はスイス・ローザンヌの美術館であるアール・ブリュット・コレクション（Collection de l'art brut）を訪問しました。そこはジャン・デュビュッフェが蒐集した作品群をもとに誕生し、アール・ブリュットの総本山として世界的にも名高い場所です。それまでに訪れたさまざまな美術館や博物館のどこにも似ておらず、作品それぞれが発する強烈な存在感と熱気に吸い込まれていく感覚を覚えました。そのアール・ブリュット・コレクションと、2004年の設立以来、日本におけるアール・ブリュットの取り組みで中心的役割を担って来た滋賀県のボーダレス・アートミュージアムNO-MAが、スイスと日本の双方でアール・ブリュット展を共催することになったのは2008〜2009年のことでした。私は日本側の事務局として関わりました。展覧会は盛況で、とりわけ海外において日本のアール・ブリュットが知られるきっかけとなりました。

「Art Brut Japnais II」
（パリ市立アル・サン・ピエール美術館
会場風景（撮影：高石巧）

そして、アール・ブリュット・コレクションで開催されたこの「JAPON」展がきっかけとなり、翌2010年に、フランス・パリ市立アル・サン・ピエール美術館（HALLE SAINT PIERRE）

まで

なぐ無形の資産

で、日本人63名による約900点を展示する「Art Brut Japonais」展が開催されました。同展は多くのメディアに取り上げられました。来場者は、初めて目にする作品群の独自性や創造性に驚かされ、またそこに文化の差異や共通項を見出し、刺激的な展覧会だと評しました。

その評判は口コミでも広がりリピーターが絶えず、その結果、会期が延長され、約12万人もの観覧者数を記録する大きな反響を得ることになったのです。この展覧会は、日本国内での関心・評価を著しく高めた、まさにエポックメイキングな出来事でした。

「Art Brut Japnais Ⅱ」
（パリ市立アル・サン・ピエール美術館）
観覧風景（撮影：高石巧）

海外の美術館が日本のアール・ブリュット展の開催を求める声は増え続け、2012年からはオランダとイギリスを巡回する展覧会「Outsider Art from Japan」（日本人46名、約850点を出展）が開催されました。私はこの巡回展のキュレーターを務め、各館のディレクターやキュレーターとともに展覧会をつくっていきました。以降も、スイス、フランス、スウェーデン、インドネシア、タイなどで、毎年のように日本のアール・ブリュット展が開催されています。2018年には、東京都とパリ市の姉妹都市提携企画の一つとして、「Art Brut Japonais Ⅱ」がアル・サン・ピエール美術館で開催され、6か月間で約10万人の観覧者数を記録し、2010年の展覧会から8年後も変わらぬ人気ぶりを示したのです。

展覧会の開催が増えるに伴い、アート市場からも熱視線が送られています。日本のアール・ブリュットは、主に福祉の領域から創作に関する調査や作品の発表が行われてきた経緯から、障害のある作者が多くいます。こうしたなか、厚生労働省は2013年から、障害のある作者の著作権保護や作品の取り扱いに関する相談窓口の設置を行う事業を各自治体で展開しています。世界的に見ても稀有な取り組みであり、日本のアール・ブリュットが福祉分野で草の根的に取り組まれてきた功績とも言えるでしょう。

さらにローカルな規模で見ていくと、地域（街）×芸術文化（アール・ブリュット）×福祉という取り組みも増えています。私が2010年から毎年取り組んできた「NAKANO街中まるごと美術館！」は、中野駅周辺の商店街や地域の方々と一緒に進めるプロジェクトです。サブカルチャーの聖地として有名な中野ブロードウェイや、1日約5万人が往来する中野サンモール商店街などを中心に、街を一つの美術館に見立て、実物の作品や作品の巨大バナーなどの展示を続けてきました。買い物や散歩、通勤、通学など日常のふとした景色に、アール・ブリュットが溶け込んでいることは今や馴染みの風景となってきています。

アール・ブリュットの作品は実に多様です。そして作者の送る生もまた同様に一人ひとり大きく異なります。それらの作品が私たちの暮らしのなかに存在することは、自分とは違う他者の存在と出会うことです。そして、街こそ、あらゆる世代、ジェンダー、国籍などが入り混じる多様性の鏡であり、アール・ブリュットの作品を展示するのに相性のいい空間だと言えるでしょう。

「NAKANO街中まるごと美術館！」
中野サンモール商店街
（撮影：高石巧）

アール・ブリュットという言葉を誰も知らなかった街が、今ではアール・ブリュットをこの街の芸術文化として取り上げ、伝統芸能やメディア、行政などの他分野と連携した事業を展開しています。

「NAKANO街中まるごと美術館！」は、街を舞台に、人と人の、人と街の、そして社会の新たな繋がりを育み、世間に流れる空気や社会に流れるイデオロギーの変容を希求してきました。それは、芸術文化で街や社会を成熟させていく一例として、未来へと続く街の無形の資産となっていくものだと思います。

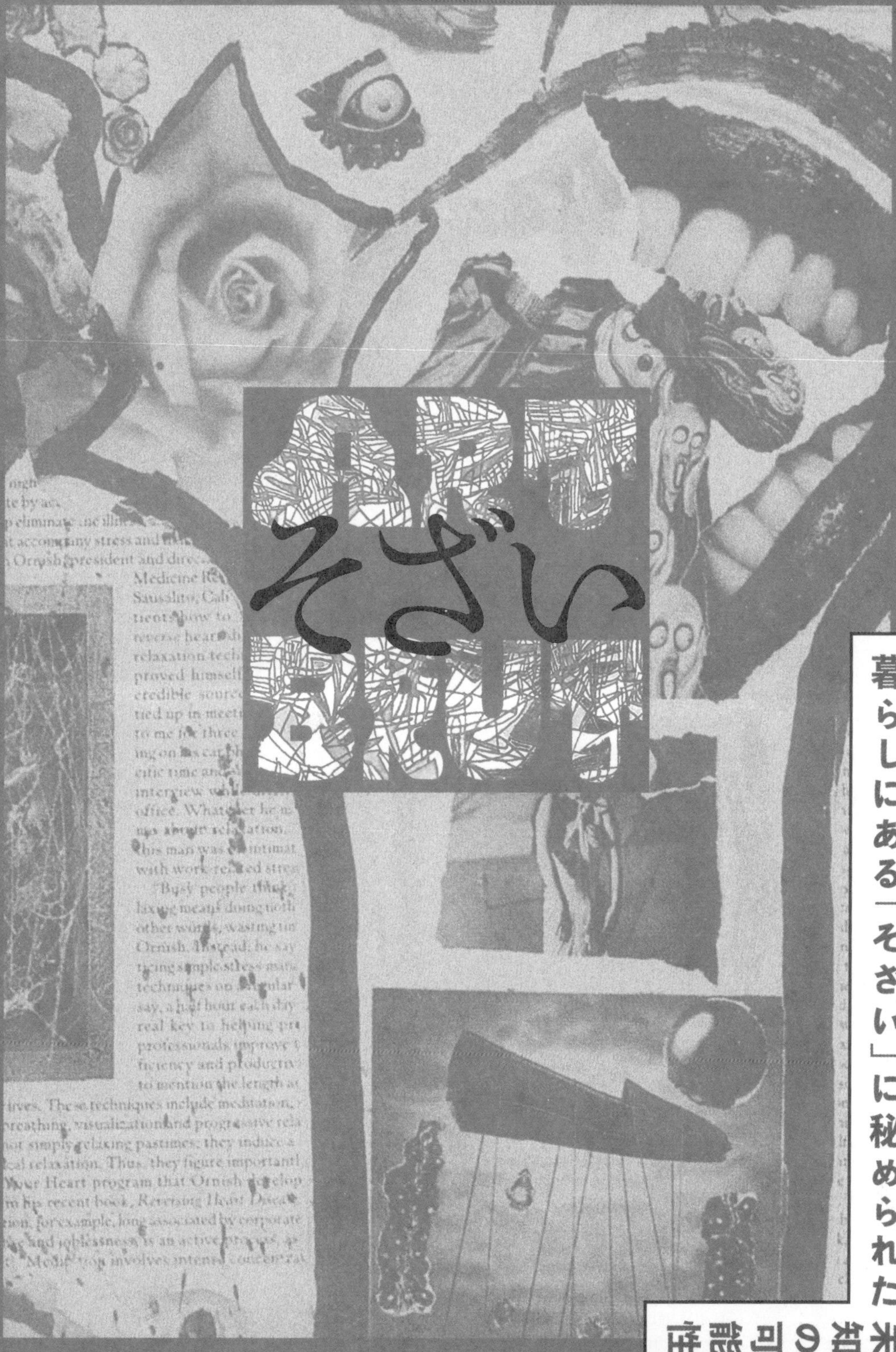

ART そざい BRUT

暮らしにある「そざい」に秘められた未知の可能性

日常の素材で生まれ

顔は動物、身体は人間のようなかたちをしたオブジェたち。立体版の鳥獣戯画、「鳥獣戯像」と表現したくなります。渥美は雑貨屋の店主をする傍ら、ランプや食器、手芸品などのさまざまな日用品を手作りしていました。しかしそれだけでは飽き足らず、これらの人形を制作するようになりました。1990年頃から2000年頃にかけて、店舗があるビルの廊下を制作現場にして、人形制作に没頭し続けたといいます。作品は、小さな置物から高さ 1.8m 程ある立像まで、さまざまな大きさでつくられます。一見すると、石像のようなどっしりと

た鳥獣戯像

Atsumi Keisuke

渥美 圭亮（あつみ・けいすけ）

1947－2010年

静岡県出身

した重量感が感じられます。しかし想像に反して、作品はどれもとてつもなく軽いのです。土台となる素材は発泡スチロールで、それらを竹串で連結しています。表面には和紙を貼り、上から墨や絵の具などで描画し、最後にニスで塗装してつ

動物でも、人でもあるような、オリエンタルな雰囲気とユーモア溢れる佇まい。

くりました。横に細く伸びた目や鼻、突き出したお尻などのフォルムが特徴的なかたちをしているのは、使用する発泡スチロールが、パソコンやテレビなどの電化製品の梱包材だからです。試行錯誤しながら組み立て、人形のかたちをつくり

見た目からは想像できない超軽量！

素材にした梱包材が生んだ、デフォルメされた妖艶な身体。

あげていきました。渥美は民俗学を学んでおり、それらの影響も作品に表れています。和紙や墨を使用した描画にはオリエンタルな風合いが漂い、デフォルメされた身体からは妖艶さが醸し出され、作品全体に優美さが生まれています。

江中は、しおりサイズから100号大サイズまで、大小さまざまなコラージュ作品をつくり続けています。使用される素材も多様で、ポスターや雑誌以外に絵の具や布生地、内服薬などのオブジェが用いられます。制作工程には、多くの素材とその断片からイメージを浮かべてつくる場合と、テーマを決めてから制作する場合があります。小さな作品では1時間程度、大きな作品では約半年かけてじっくり制作されます（作品『拘束』は後者の過程で制作されました）。コラージュを始めたきっかけは、30代初めの頃。統合失調症を発症し、精神科病院に入院した時のことでした。ハサミなどの道具が使えない閉鎖病棟のなかで、退院する友人へのお祝いのために、雑誌やポスターを素手でちぎって制作したのです。その後、精神科病院の

心を開放していくコラージュ

江中 裕子（えなか・ゆうこ）

1960年生まれ　埼玉県在住

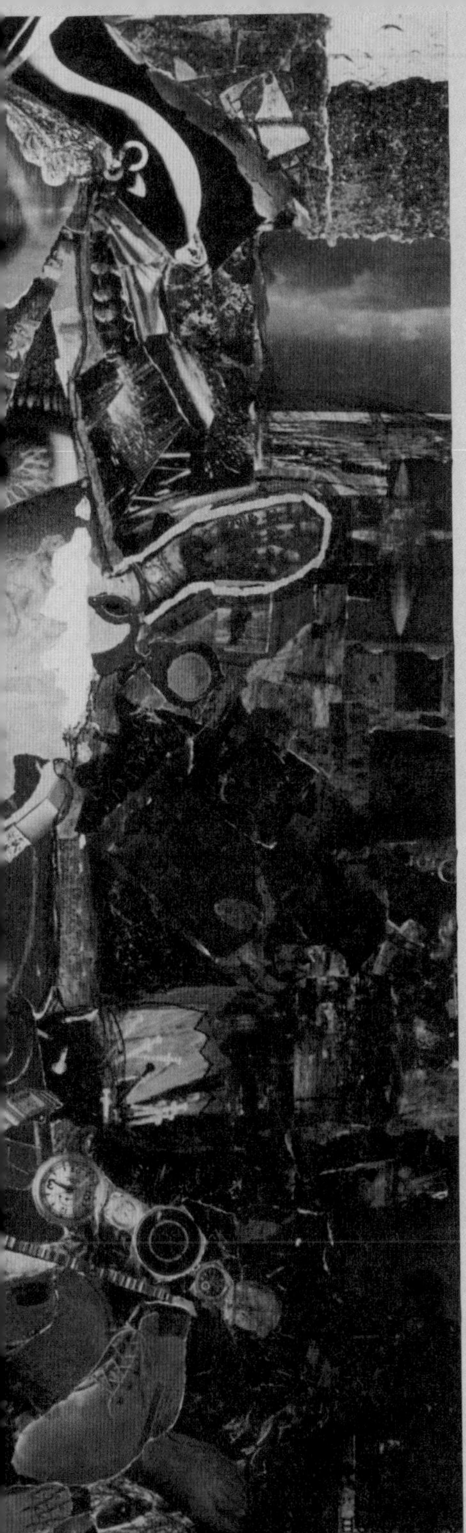

〈拘束〉

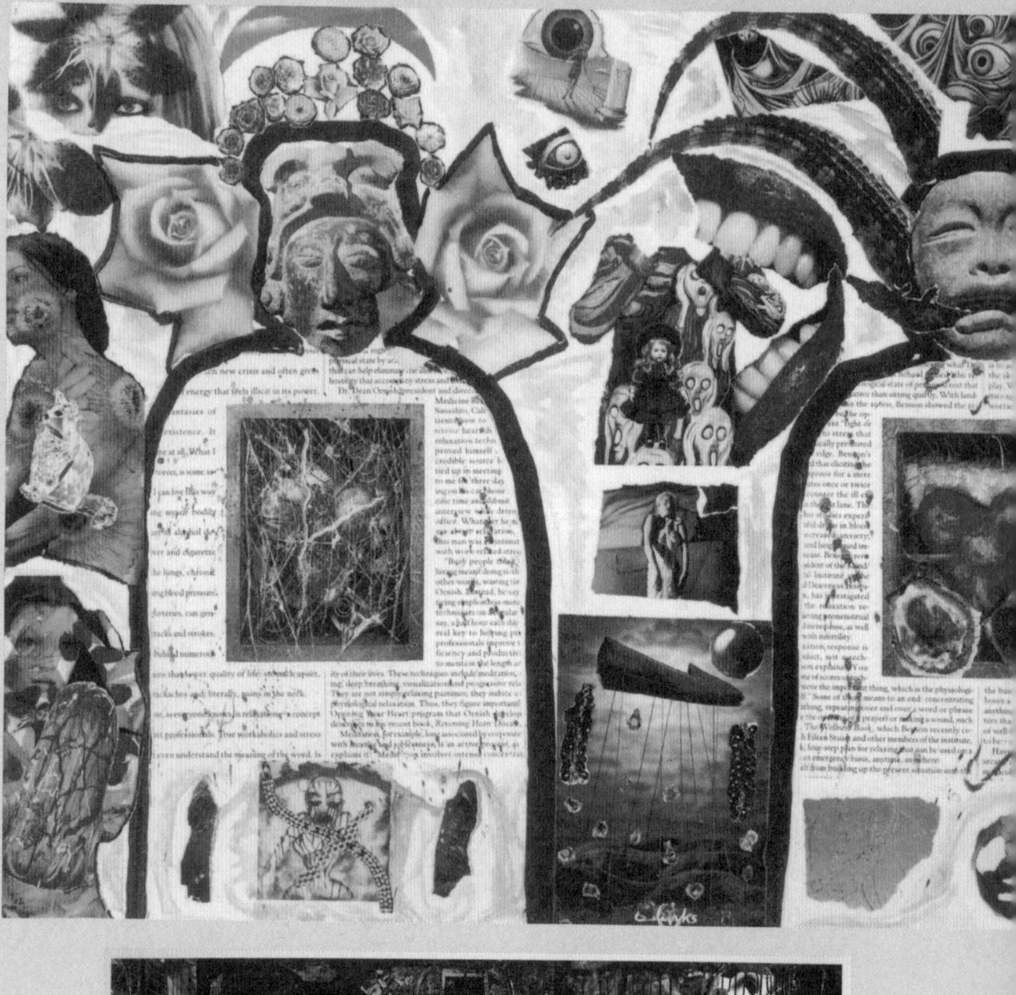

心模様が記憶されたタイトル。

〈光と影〉

暮らしのなかにある素材を使いコラージュする。

〈長谷川君と裏表の人〉

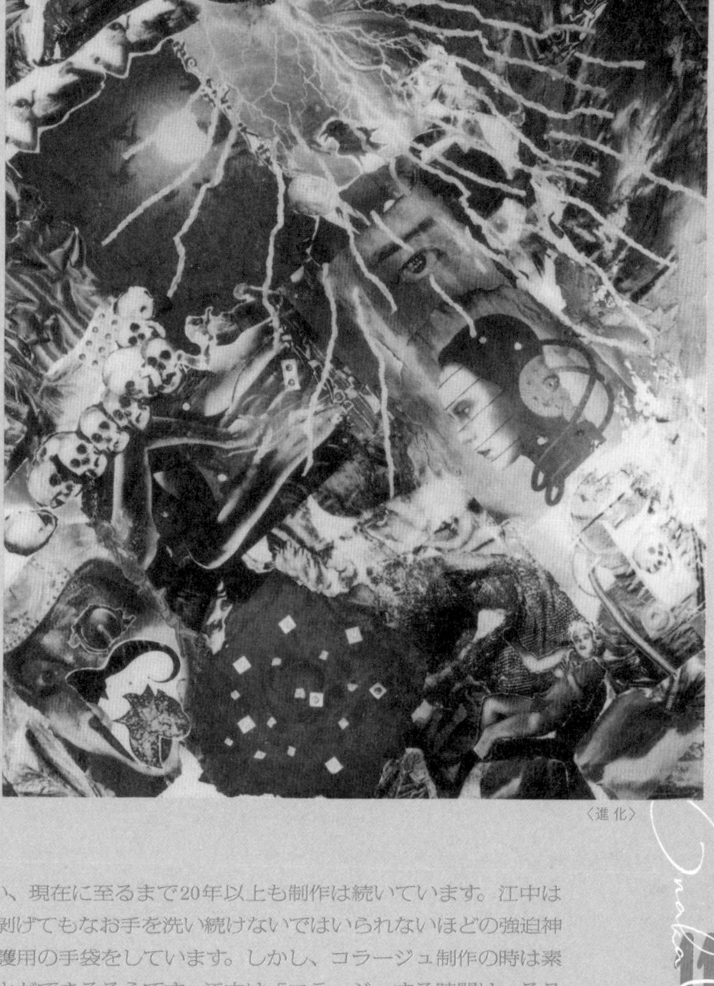

言葉にできない思い、言葉にできても伝えられない気持ちが昇華されている。

〈進化〉

〈造形教室〉に出合い、現在に至るまで20年以上も制作は続いています。江中は普段、両手の皮膚が剝げてもなお手を洗い続けないではいられないほどの強迫神経症があり、常に防護用の手袋をしています。しかし、コラージュ制作の時は素手で創作に向かうことができるそうです。江中は「コラージュする時間は、そこにエネルギーが集中し熱中できる」と語っており、趣味での制作という領域を超えて、心の均整を支えるための必要不可欠な表現行為のようです。

ビニールタイの極小

高さ3cm程の大きさで、精巧につくられた小さな戦士たち。素材は、お菓子やパンの袋を閉じる際などに使うビニールタイ。これまでに自宅で何百という戦士をつくってきました。ビニールタイという素材を徹底して活かしており、探求心と創意工夫に富んでいます。全体的な色合い、顔や足、膝、手などの部分的な配色にもこだわり、小さなハサミやニッパーを使って制作されます。数mmの幅しかないビニールタイを細かく切り、形を変えることで、武器の形状や戦士がまとう衣装に1体ずつ微

の戦士たち

勝部 翔太（かつべ・しょうた）

1991年生まれ　島根県在住

ビニールタイを捻じ曲げ、切り込みを入れ、細部にこだわった配色とかたち。

ビニールタイとは思えない重厚でメタリックなフォルム。

妙に異なるバラエティを生み出しているのです。極小のサイズ感も、勝部にとっては一番制作しやすい大きさだからだそうです。小学生の頃、アニメに出てくる戦士が好きだった勝部。戦士のおもちゃが欲しかったのですが、小遣いだけでは

十分に買えなかったため、自分でつくろうと制作が始まりました。いろいろなビニールタイを試した結果、100円ショップで売っているものが一番つくりやすかったということで、以来それを愛用しています。人形の構造や緻密さによっても異

一体一体に違いがある装甲！　並べると今にも戦いだしそうなリアルさ。

なりますが、1体あたり1時間程度かけて制作されます。2013年にイギリスのウエルカムコレクションで開催された「SOUZOU—Outsider Art From Japan 展」では、出展者のなかで唯一、作品が収蔵され、現在も常設で展示されています。

夜中に描かれる至

福祉施設で暮らす勝山は、他のこどもたちが寝静まった頃、窓から夜空を眺め、鼻歌を歌いながら身体を揺らし、そして自室の壁一面に広がる壁画制作に向かいます。至福の時間。日中も、紙や鉛筆、マジックなどの画材を使用した創作活動に参加したり、窓に息を吹きかけて曇ったガラスをなぞって絵を描いたり、唾液で床や壁に絵を描くなどしています。「描きたい」という強い衝動が常に心の中に去来しているようです。絵のモチーフとなるのは、好きな絵本や図鑑、テレビなどで見た動物や植物、昆虫、電車、車、アニメのキャラクター

福の壁画

筆などを使って壁に描くのではなく、唾液と爪で壁を削り描かれた!

Katsuyama Naoto

勝山 直斗

(かつやま・なおと)

2006年生まれ　埼玉県在住

などです。壁画制作が始まったのは、2012年。何にもない個室で一人過ごすことになった時、指に唾液をつけ、壁紙を何回も何回もゴシゴシと擦って剥がすことで絵を描いていきました。壁紙にはいくつかの層があるため、どの裏地まで削る

表現することの自由さ、表現することの歓喜が伝わる壁画。

かによって壁画には色の違いが生まれていきます。制作時、勝山は剝がした壁紙を口に含んで噛み続け、溜めていきます。ある程度の量が溜まると口から取り出し、指でその塊を天井に飛ばしてくっつけます。そのため、壁画のある部屋の天

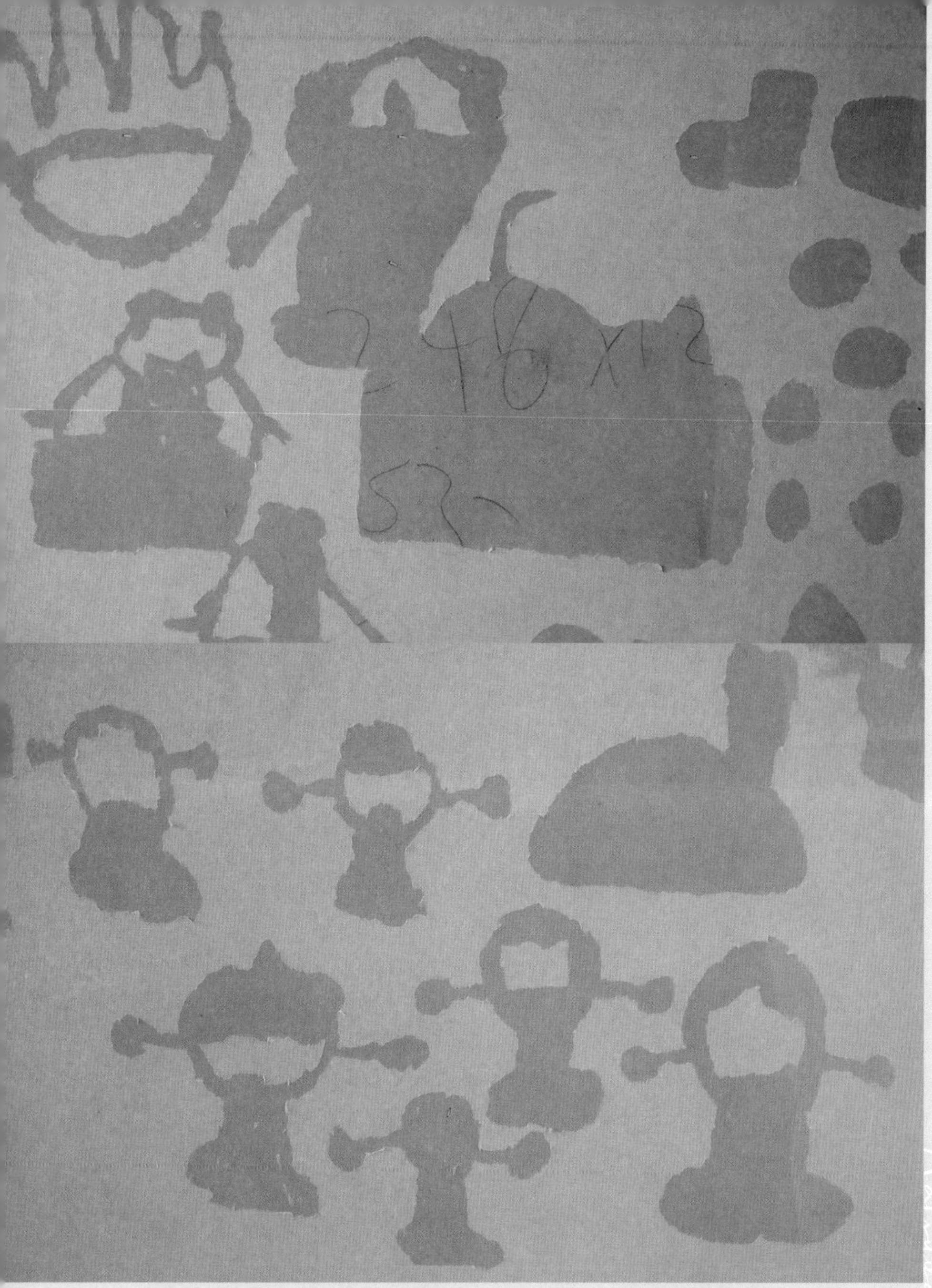

創作にあたるルールの「わからなさ」も魅力の一つ。答えのない問いに満ちた工程。

井には、丸くこびりついた壁紙が星のように無数に点在しています。施設職員は「まるで壁を食べてるようだ」と言い表していました。人が創造するもののかたち、表現する行為はどこまでも自由に広がる可能性を持っています。

素材とかたちのハー

佐々木の表現は、絵画、織物、刺繍、通信販売のカタログへの描き込みからコラージュ制作に至るまで多岐にわたります。一つの表現に熱中しては、数か月もしくは数年の周期でまた違う表現に移行します。時には以前の表現に戻ることもあります。どの制作からも共通して感じるのは、美しい画面構成、緻密さ、制作手法へのこだわり、そして表現へのたまらない欲求と情熱です。25×38cmの刺繍では、約1年かけて、大小さまざま、色とりどりの四角形を縫いました。糸が層となって盛り上がり、俯瞰して見ると、さながら草木や花、畑が広がる色彩豊かな大地を連想させます。描画では、紙面に四角形や丸を絶妙な余白とバランスで描いています。よく見ると、四角形を描いた作品は、細かな格子状の線で形成

Sasaki Sanae

佐々木 早苗

（ささき・さなえ）

1963年生まれ　岩手県在住

線や糸の層の厚みが生む立体感と生命力！

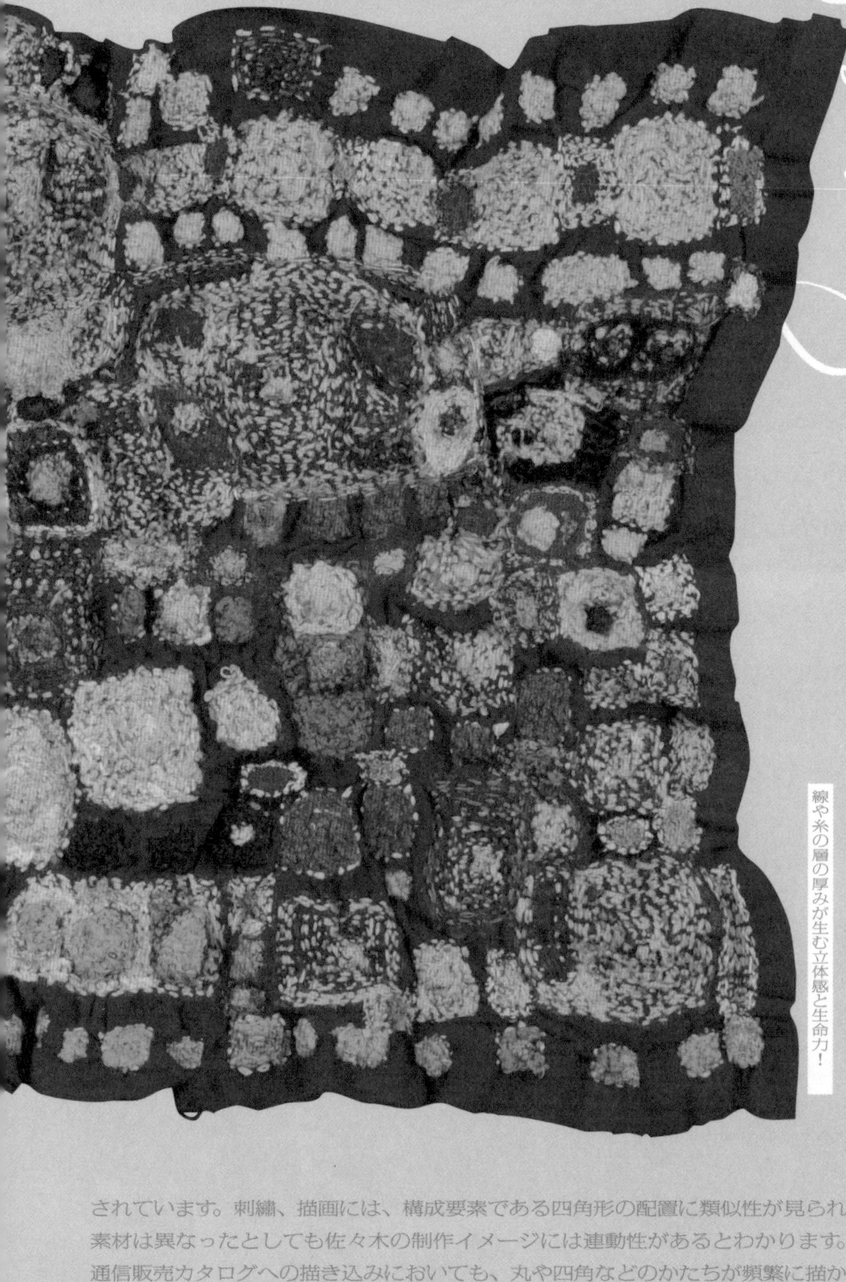

されています。刺繍、描画には、構成要素である四角形の配置に類似性が見られ、素材は異なったとしても佐々木の制作イメージには連動性があるとわかります。通信販売カタログへの描き込みにおいても、丸や四角などのかたちが頻繁に描か

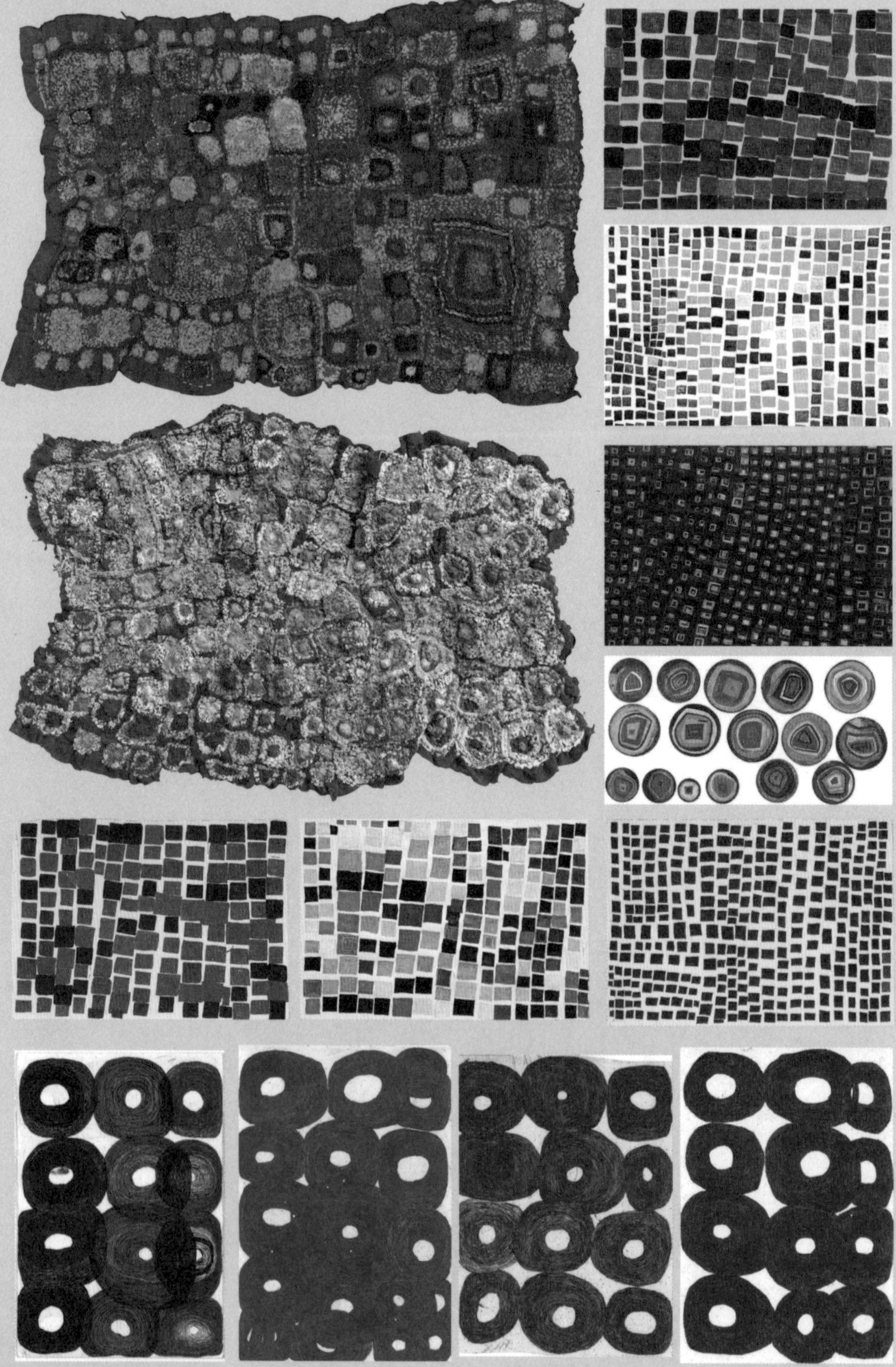

表現法が変わっても、連動する「かたち」へのこだわり。

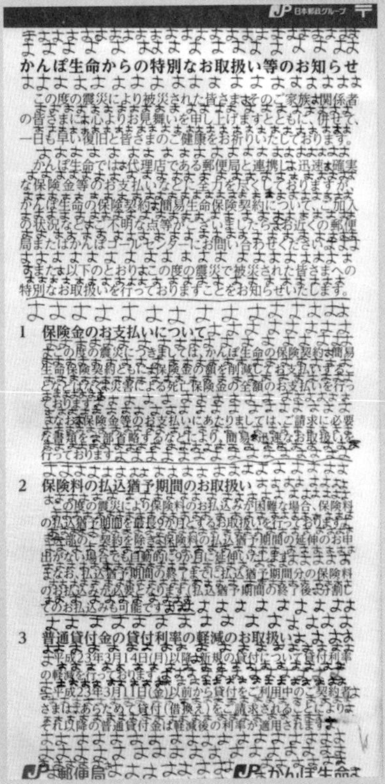

好きなかたちは丸、四角、そして独自の文字？

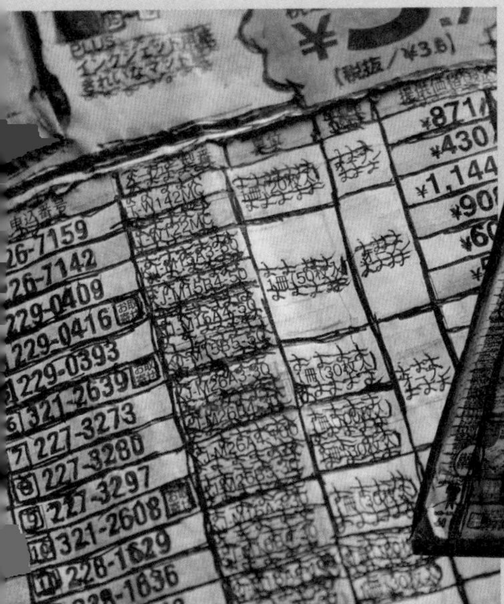

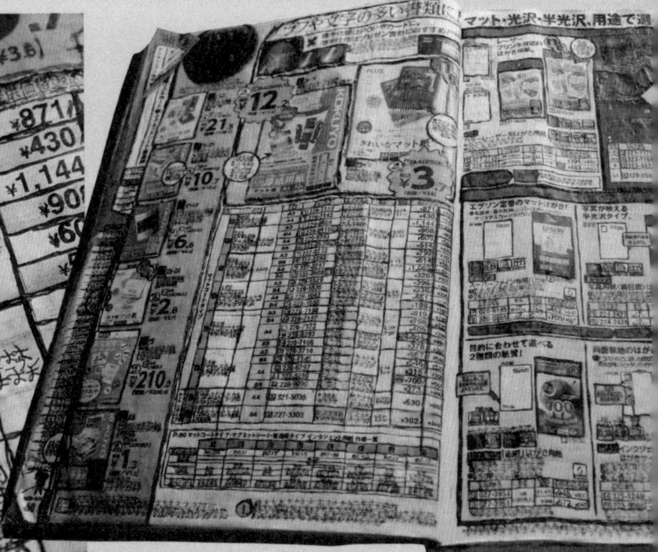

れます。また佐々木独自の文字を書き連ねる制作もあり、かたちへの関心が強いようです。佐々木は福祉施設や自室で制作しており、時には朝方まで制作が続きます。佐々木にとって、制作は心から熱中できる時間のようです。

落ち葉に吹き込ま

折り葉®」と名付けられたこれらの作品の発想と制作は、類を見ません。伝統文化「折り紙」と葉っぱというごく身近な素材を使い、誰もが想像しなかった新たな創造をして見せたのです。毎年、クヌギの葉が落葉する11月頃、渡邊はその葉を拾い、さまざまな動物を立体的に折り出します。逡巡する様子もなく、1体15分程で、2～3cmくらいの動物をつくります。時折、「はぁぁぁ」と息を吹きかけ、葉を湿らせながら折り進めます。落ち葉は脆く壊れやすい印象ですが、クヌギの葉で折り上げた作品はわりと丈夫です。ただし、湿気を含むと形が崩れるといいます。

れた生命

渡邊 義紘（わたなべ・よしひろ）

1989年生まれ　熊本県在住

折り紙の手法を用い、落ち葉から動物を生み出す。

〈折り葉の動物たち（キリン）〉

保管されているもっとも古い作品は、18年前のもの。渡邊は中学1年生の秋にクヌギの葉と出合いました。初めて折った作品は朽ちることなく、今もその姿を留めています。渡邊は幼い頃から、公園で昆虫を追いかけたり、動物園や水族館

〈折り葉の動物たち〉

細部まで緻密に折り込んだ極小サイズの動物たち。

上〈折り葉の動物たち（ライオン）〉下〈折り葉の動物たち（ネズミ）〉

に行くなど、あらゆる生物に興味を持っていました。10 歳頃からは、切り絵や陶芸など多岐にわたり制作してきました。切り絵では、一切下絵のない紙にハサミを入れ、生き物の輪郭や毛並み、筋肉などの質感を糸のような細さで繊細に切

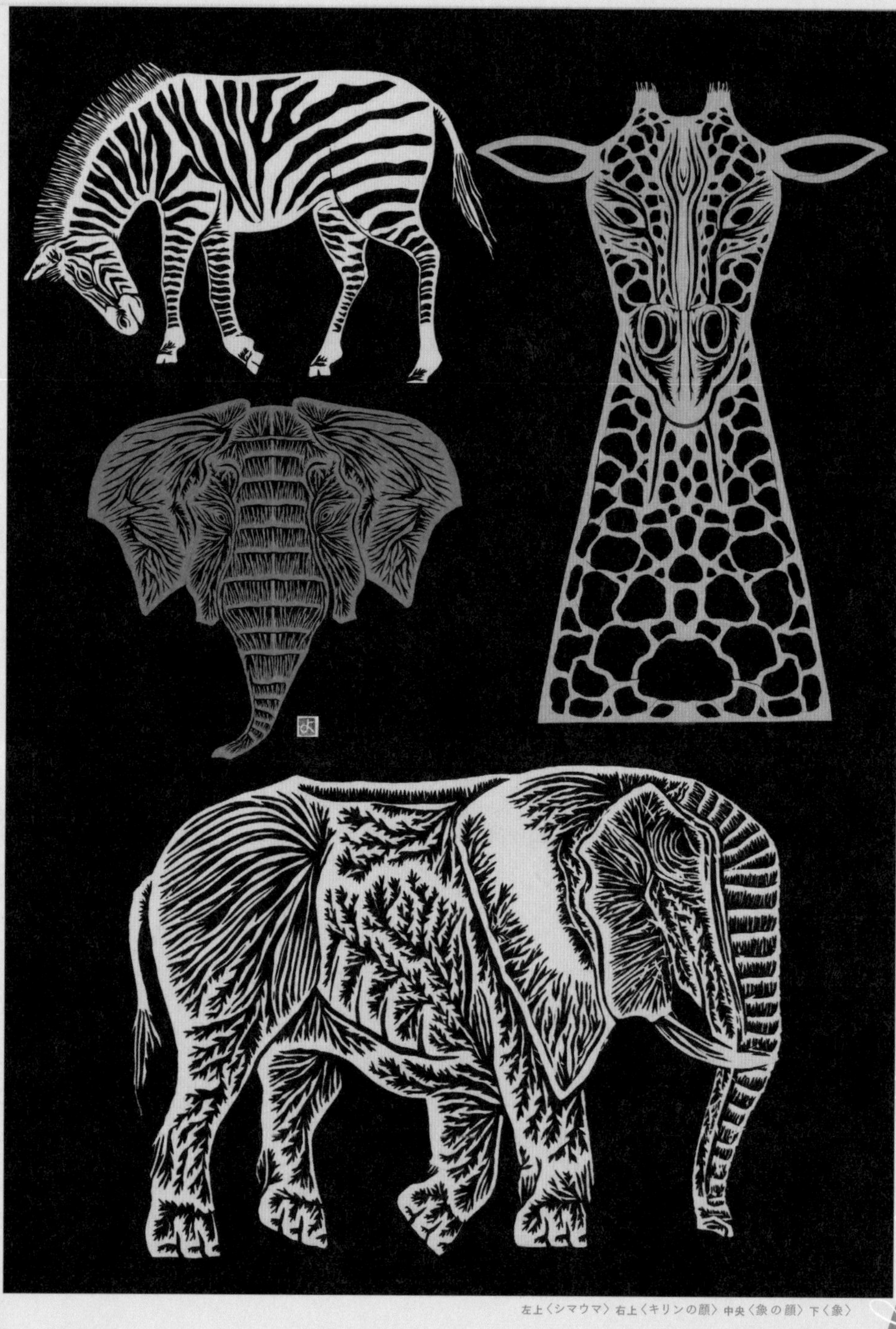

生き物の質感すら表現する、1枚の紙で繋がった切り絵。

左上〈シマウマ〉右上〈キリンの顔〉中央〈象の顔〉下〈象〉

り抜きます。驚くべきことに、完成した作品は切り離されることなく１枚の紙のまま繋がっています。素材の特性を熟知すること、自身の創造性を表現する手先の器用さを備えていることによって、渡邊の作品は生まれています。

理想を詰め込んだ

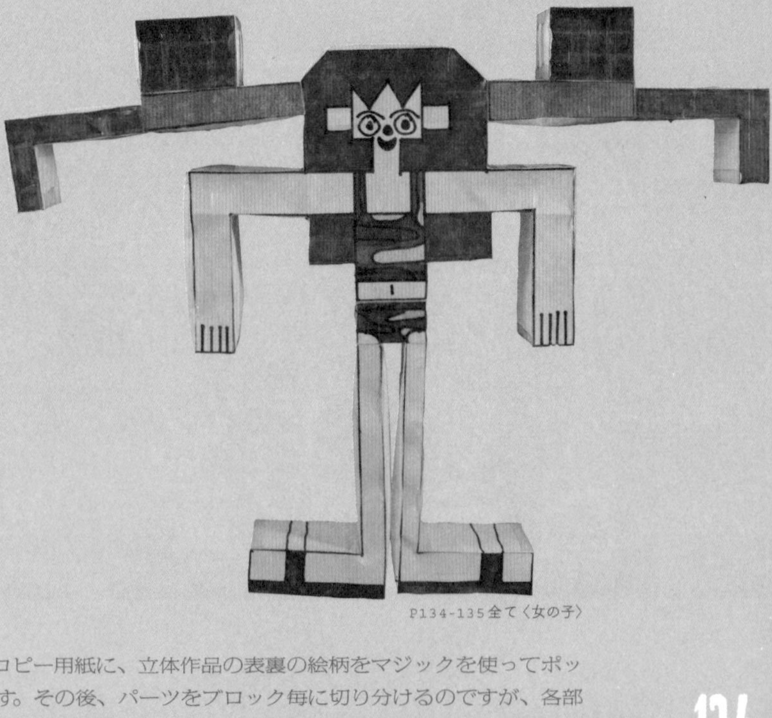

P134-135全て〈女の子〉

石野は高さ200～400mm、幅165～400mm、厚さ50mmという紙製の人形を制作し続けています。人形には曲線がなく、角ばった独特のフォームです。中は空洞で、見た目に受ける重量感とは対照的に、作品はとても軽いのです。制作する時は、まずA4判のコピー用紙に、立体作品の表裏の絵柄をマジックを使ってポップな色彩で描きます。その後、パーツをブロック毎に切り分けるのですが、各部位の輪郭に沿って切り抜くのではなく、複雑な立体を合理的につくりあげるため

ペーパー・ドール

石野 敬祐（いしの・けいすけ）

1987年生まれ　鹿児島県在住

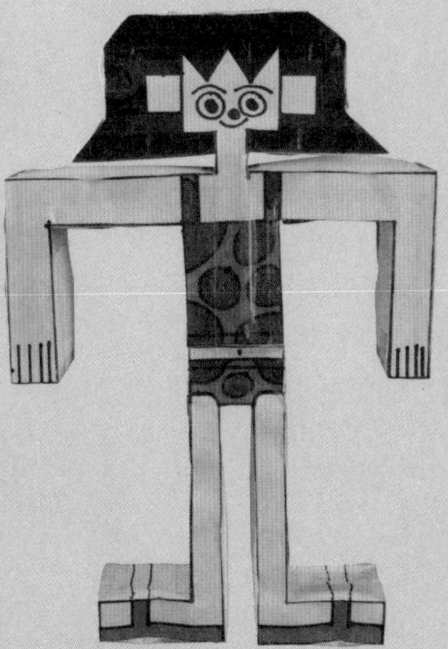

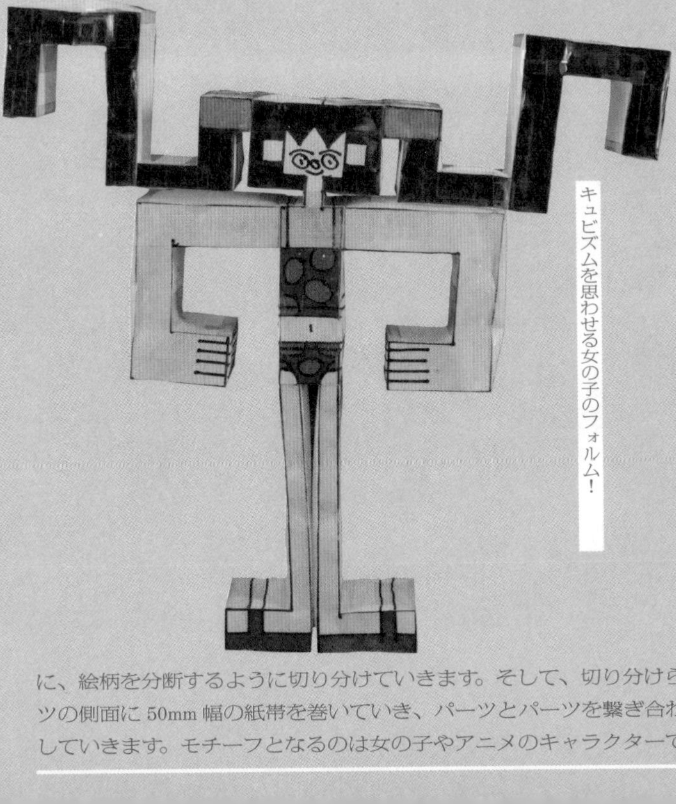

キュビズムを思わせる女の子のフォルム！

に、絵柄を分断するように切り分けていきます。そして、切り分けられた各パーツの側面に 50mm 幅の紙帯を巻いていき、パーツとパーツを繋ぎ合わせて立体にしていきます。モチーフとなるのは女の子やアニメのキャラクターであることが

多く、体操服や制服、水着などの服装の女の子シリーズに熱中している時もあったといいます。小学 3、4 年生の頃、父親が買ってきた紙模型を気に入ったことがきっかけで、制作は始まりました。自宅の机には、セロハンテープや均等に切

最小限の要素でつくるための、奇想天外で合理的な制作法！

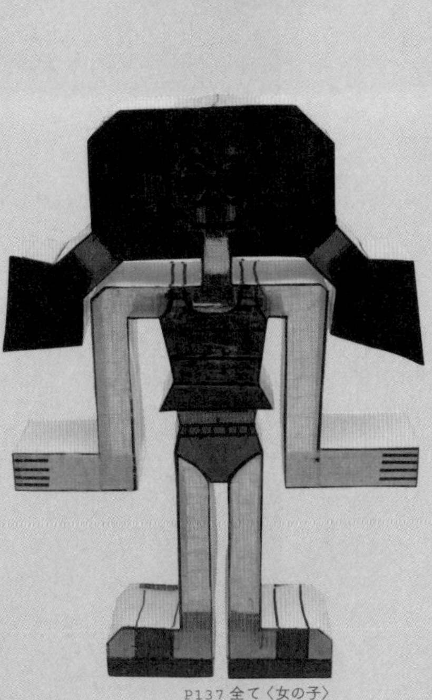

P137 全て〈女の子〉

られた紙の帯が大量にストックされ、制作への並々ならぬ熱中っぷりがうかがえます。1年に 300〜400体を制作し、20年以上経った今も飽きることなく、むしろ溢れるような制作意欲で、新たな境地を開拓しながら制作しています。

既視感のあるような、ないよう

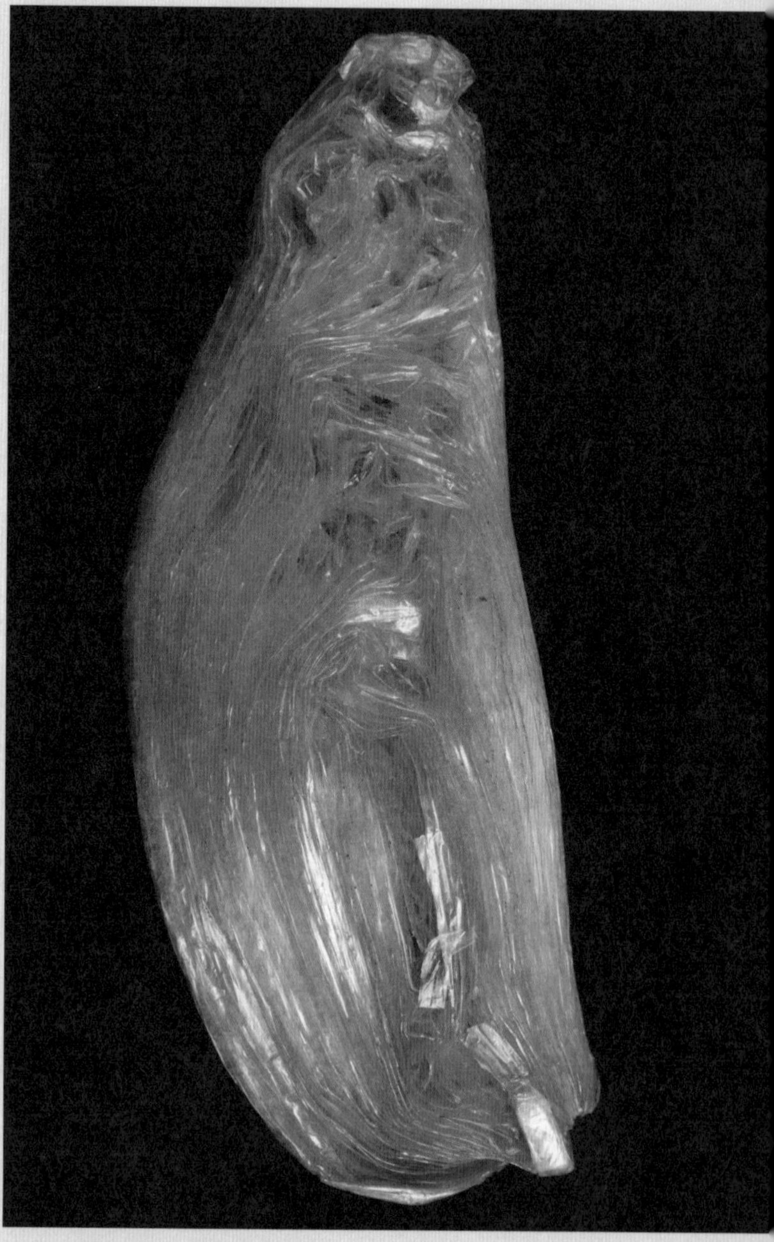

普段使っているものが本来の用途ではない使い方をされている時、人は瞬時にそれが何であるかを認識できません。もののあり方をステレオタイプに認識してしまうと、使い方への想像力は奪われます。その点において、梅木の制作は実に創造的で愉快です。作品をよく見ると、セロハンテープでぐるぐる巻きになっている中に直径 5mm にも満たない小石が至るところに存在することに気が付きます。これは何かと職

不思議に包まれたオブジェ

梅木 鉄平（うめき・てっぺい）

1979年生まれ　福岡県在住

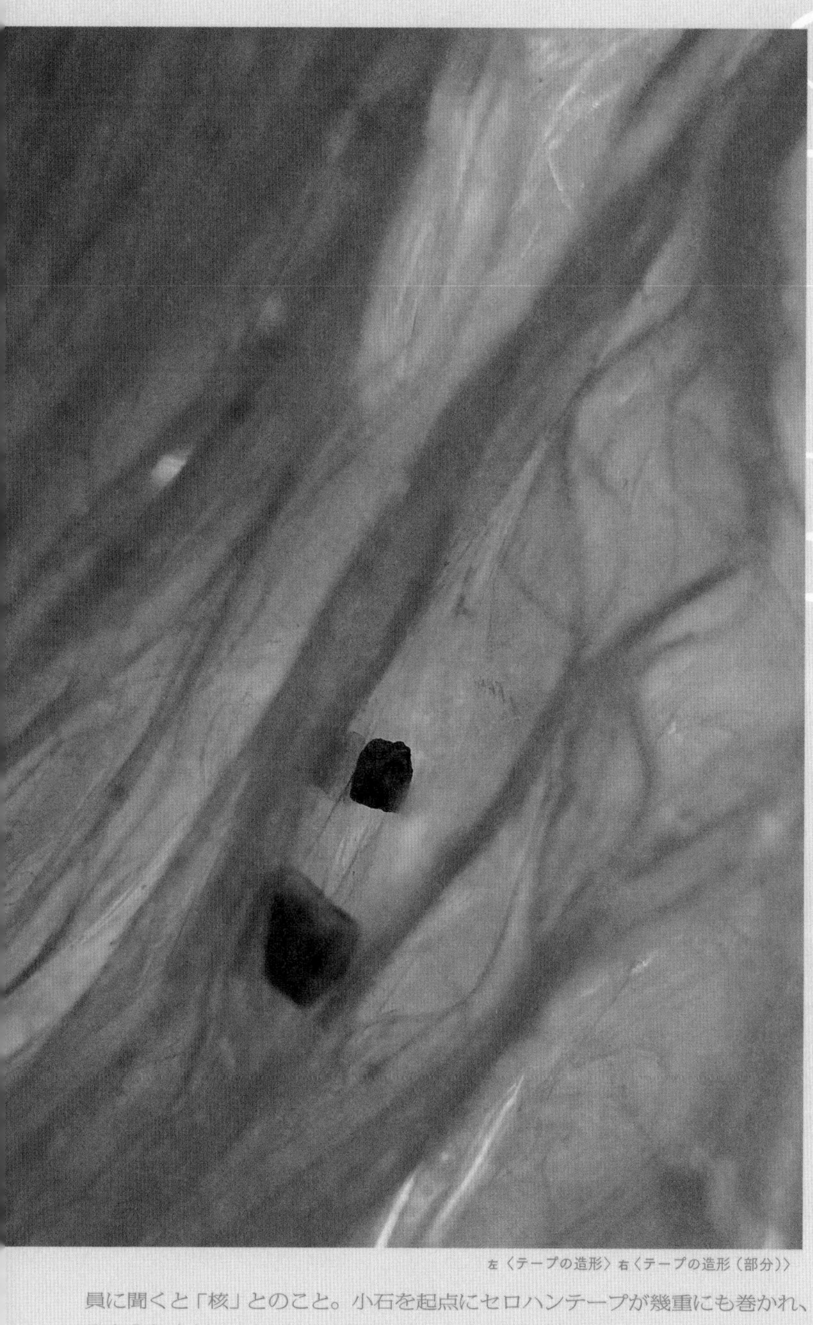

セロハンテープによる何重もの層の中心に位置する「核」と呼ばれる小石。

左〈テープの造形〉右〈テープの造形（部分）〉

員に聞くと「核」とのこと。小石を起点にセロハンテープが幾重にも巻かれ、波のような広がりを見せているのです。長めに取ったセロハンテープを貼り付けた後は両端を切り取ってしまうため、実際に制作で使用されるセロハンテープの総

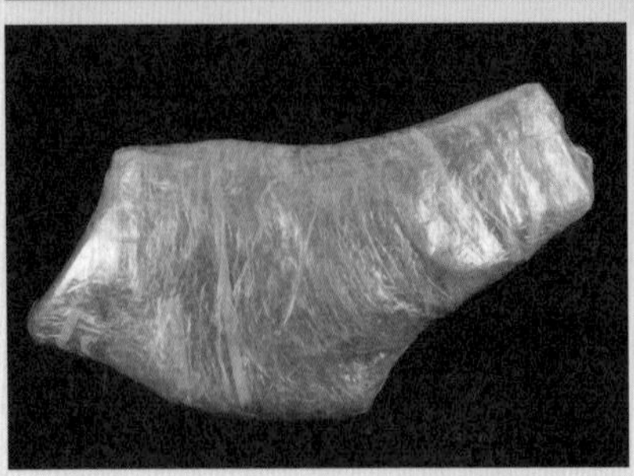

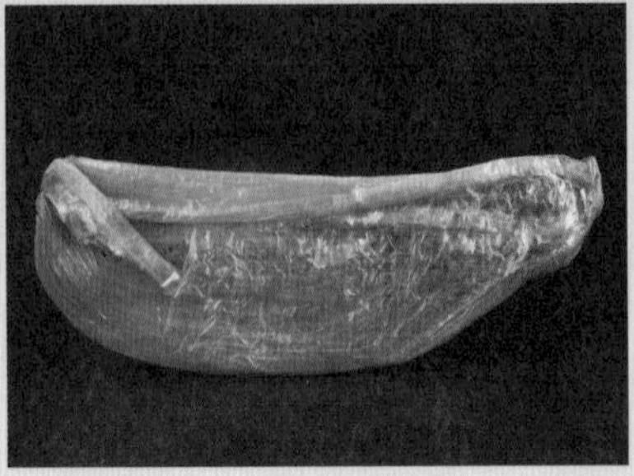

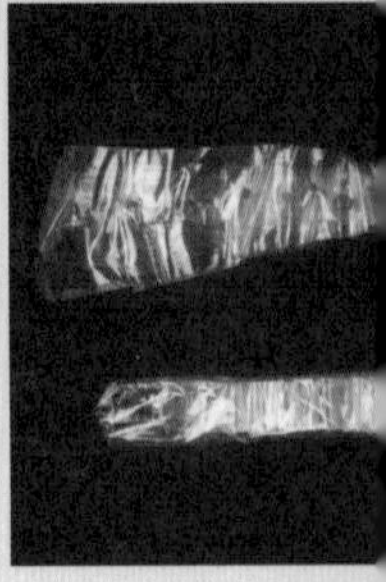

量のうち、わずか 1/3 程度だけが作品となります。にもかかわらず、近年は 1 m を超える大きさのオブジェも制作しているので驚きです。以前は、アルファベットや数字を型抜きして並べ、両面をセロハンテープで貼り付けてラミネート加工

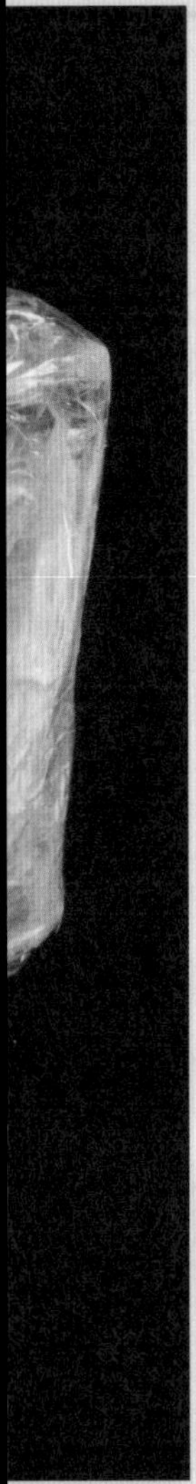

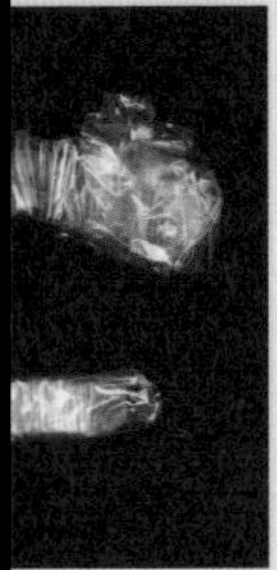

化石のようでもあり、高次元の産物のようでもある形状！

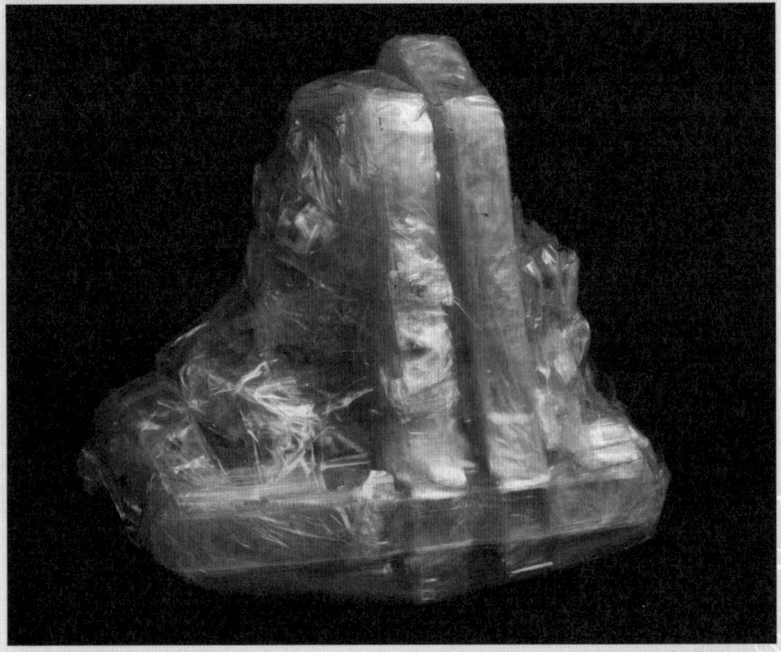

セロハンテープの違いもあるが、経年による色の変化が生む刹那の美しさ。

P140−141 全て〈テープの造形〉

のようにする制作をしていました。ところが、2010年頃のある日、突然「石！」と言い出したそうです。職員とともに小石を拾いに行くと、それを核にしてテープを巻き始めました。それがこの奇想天外な制作の始まりだったのです。

広告怪獣、現る

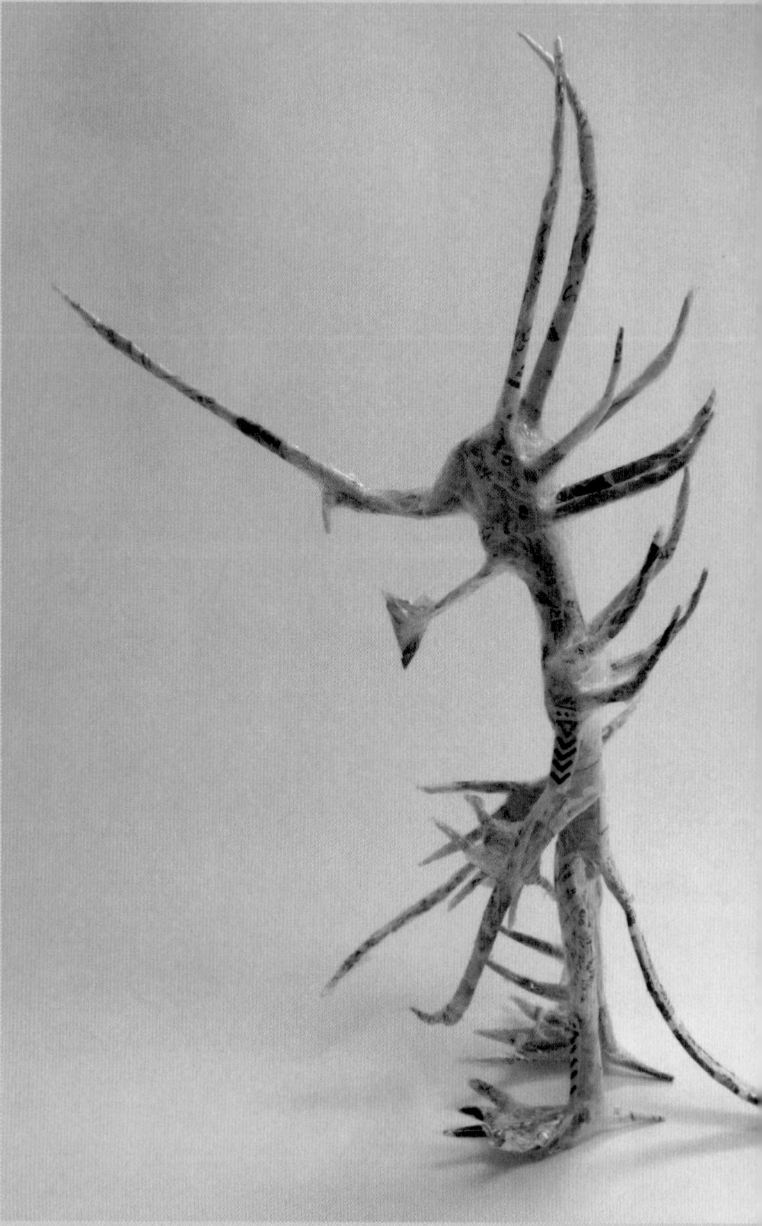

これらは「作品制作」ではなく「おもちゃづくり」という観点でつくられています。萩尾は2、3歳の頃からウルトラマンや仮面ライダー、ゴジラなどが好きでした。特にそれらに出てくる怪獣に興味を持ち、食卓の濡れた台拭きで怪獣をつくっては、敵と味方に分け戦わせるなどして遊んでいました。台拭きは形状を保つことが難しいため、小学1年生頃から広告紙を使用した制作が始まったといいます。制作に使用する素材は、広告紙とセロハンテープ。広告紙

Hagio Toshio

萩尾 俊雄（はぎお・としお）

1987年生まれ　福岡県在住

段ボールを突き破る強度!

へのこだわりは強く、なかでもデパートの紙が硬さや軟らかさ、材質において一番とのことで、25年以上使い続けています。テレビやビデオ、図鑑などを参考にして、形状にアレンジを加え、色の配置を考えながら折ったり巻いたりを繰り返

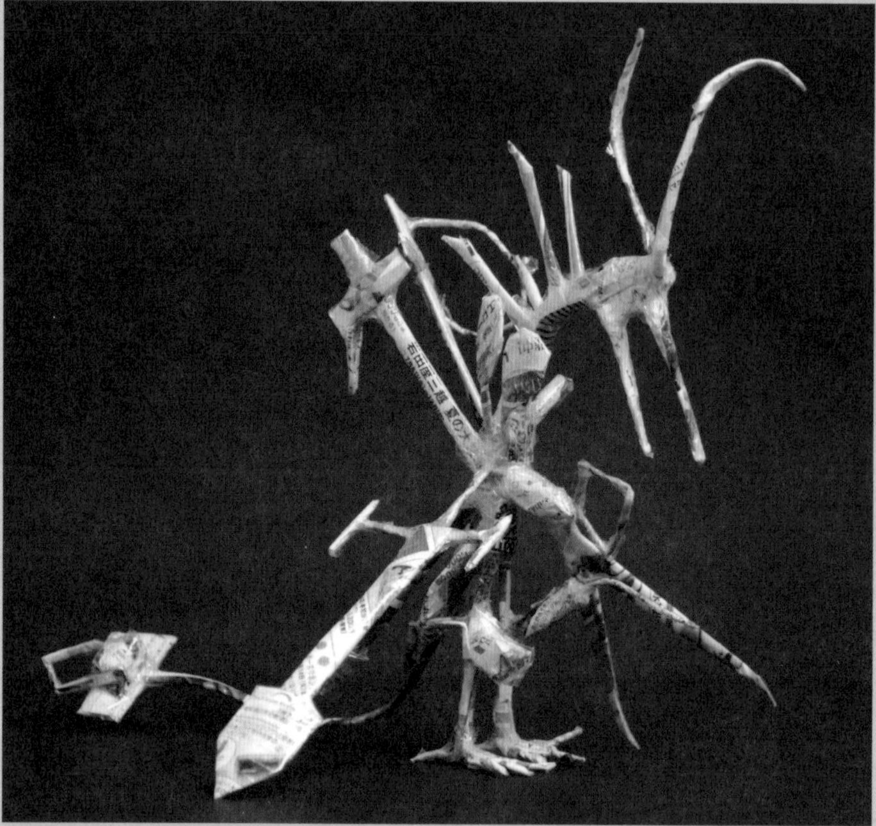

広告紙とは気づかないハイセンスなモザイク柄。

し、1体につき、30分から1時間程かけてつくっていきます。昔の怪獣はもっと肉厚だったようですが、「細い方がかっこいい」という美意識から、どんどん鋭く細く進化していきました。非常に細いため脆く見えますが、広告紙をきつく巻

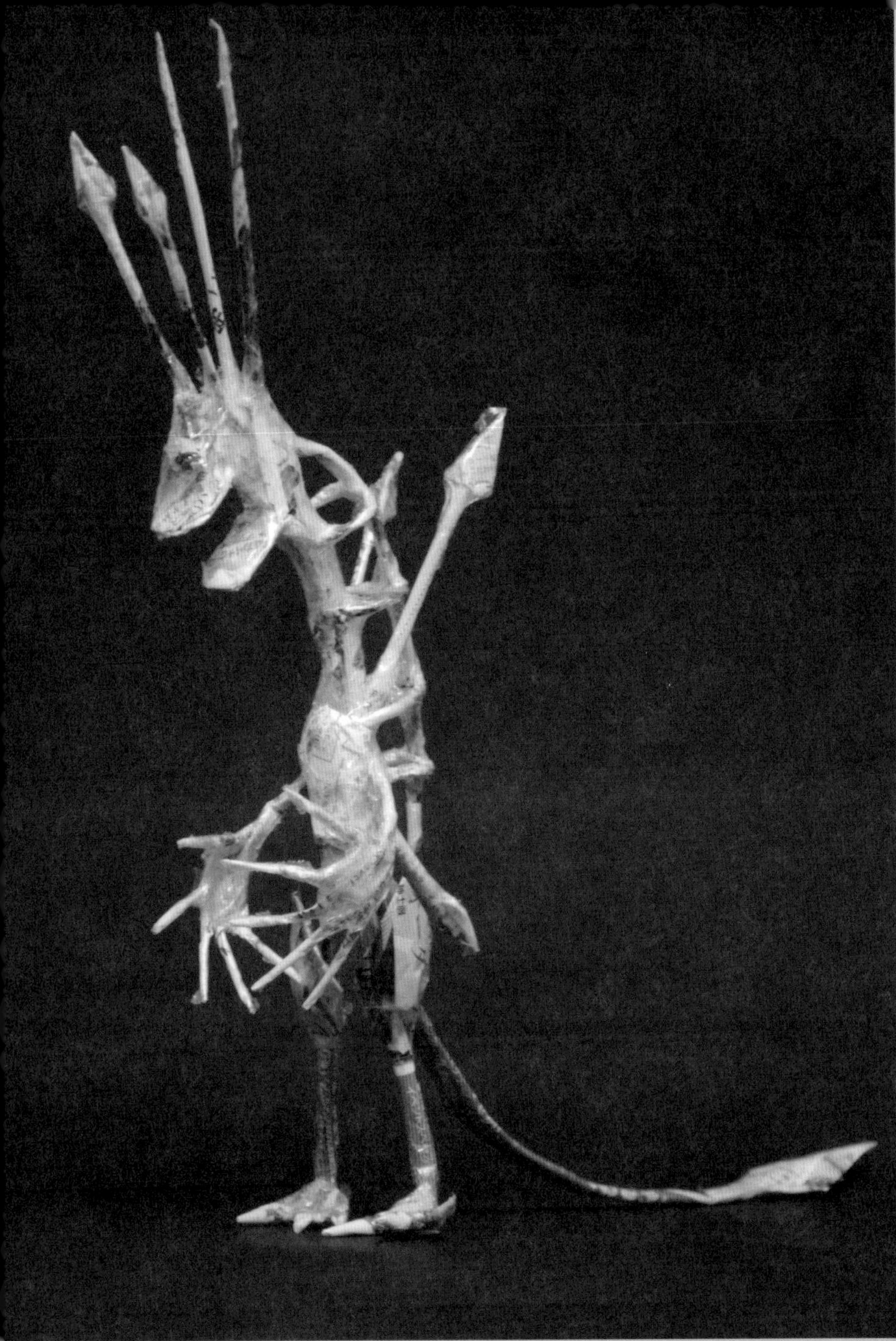

不要なものを極限までそぎ落としたシャープなフォルム。

いたあと、セロハンテープでさらにきつく巻いているため、段ボールを突き破る程の強度があります。大きさがどれも 30cm 程度なのは、手で持って動かしやすいことを重視しているからです。完成すると、萩尾は怪獣遊びに勤しむのです。

無数の光と緻密な図

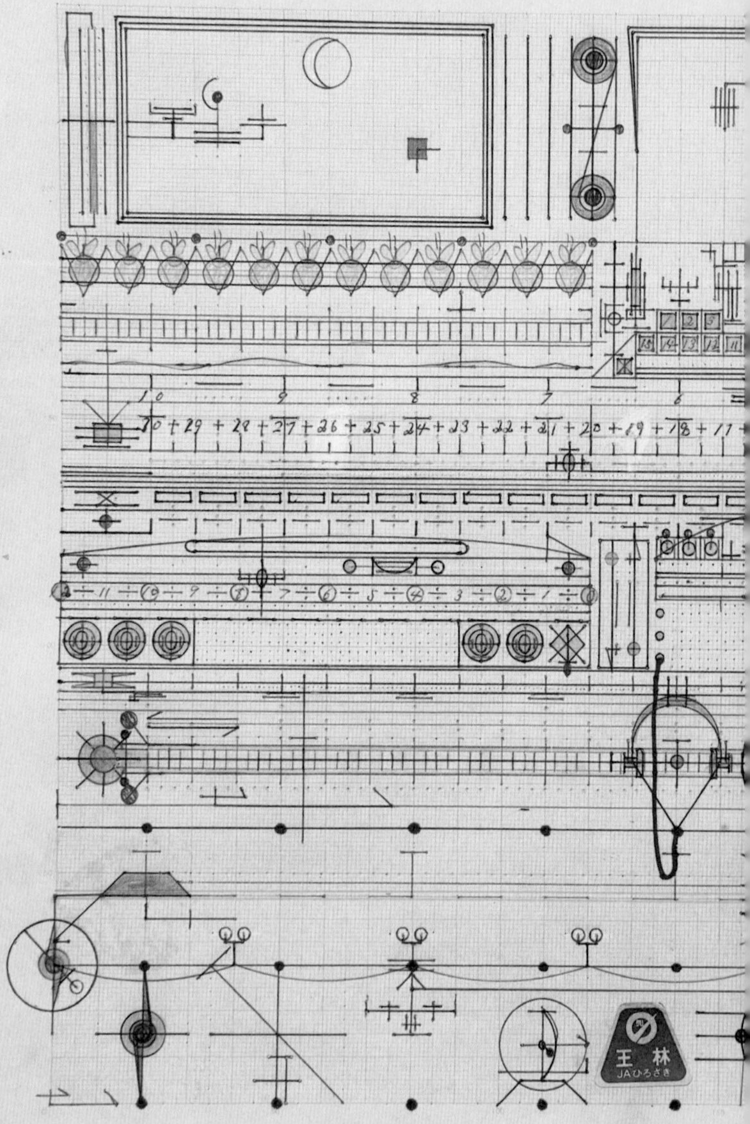

設計図のような緻密な描画に目を凝らすと、無数の小さな穴が点在しています。作品を持ち上げ見てみると、穴から光がもれ星屑のように美しい。表面から見える部分（設計図）と見えない部分（穴）の2層の協奏が山﨑の創作の四次元的な世界観を引き出します。光にかざすか裏面を見ない限り、どれだけの穴があいているのか分からないため、残念ながら印刷された図版上では穴をしっかりと見ることができません。山﨑は、36歳の時に精神科病院に入院して

山崎健一（やまざき・けんいち）

1944－2015年

新潟県出身

重機や飛行機、船などの絵に共通して描かれるサインや線。

以来、自分のベッドの横にある幅50cm程の机で、毎日制作に勤しむようになりました。使用するのは、方眼紙、製図用のコンパス、分度器、丸・三角・四角の穴がある定規、30cm定規や三角定規、赤・青・黒のボールペン、色鉛筆などで

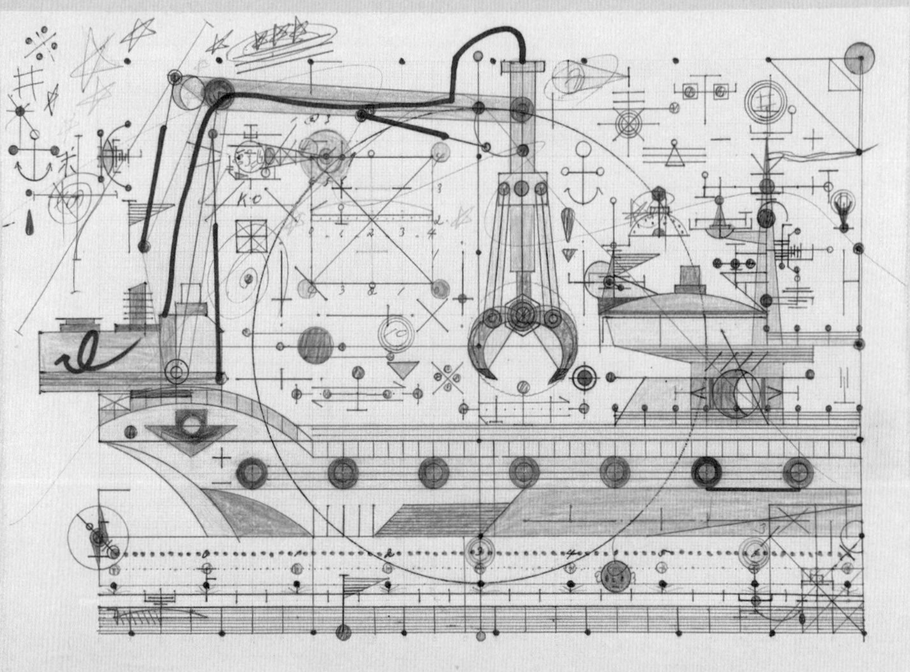

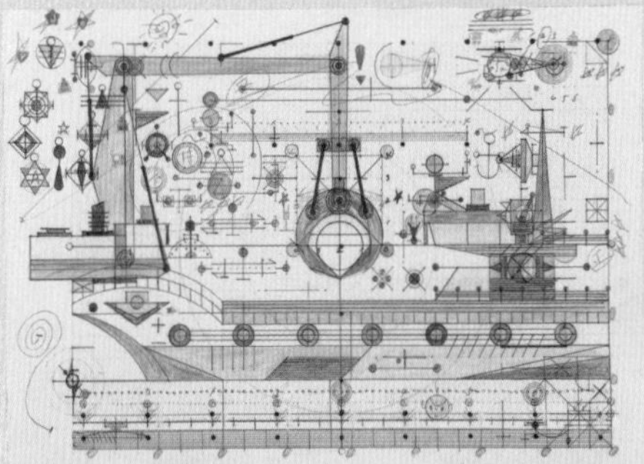

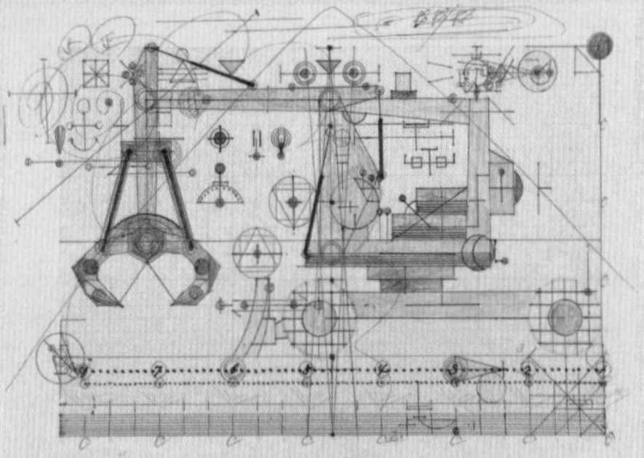

淡い水色の方眼紙は、描かれたモチーフによって海や空、草原にも変化する。

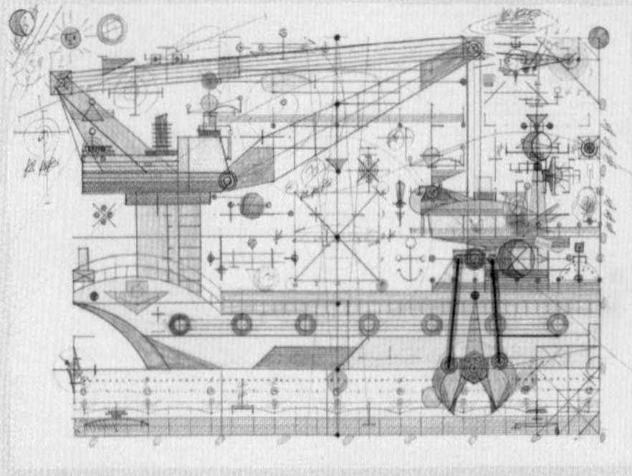

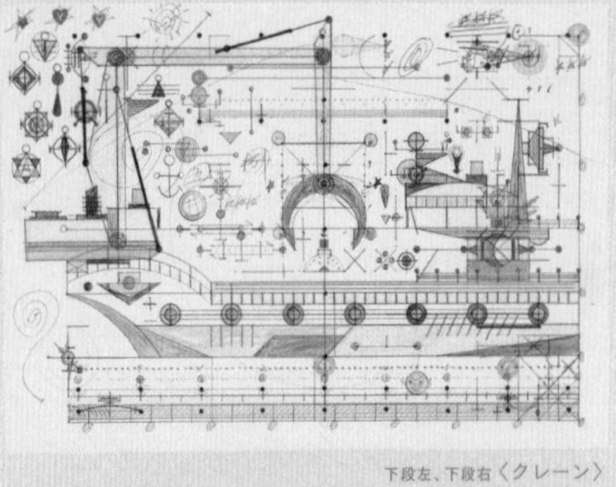

下段左、下段右〈クレーン〉

す。定規などでいくつもの線を引き、一つずつ丁寧にコンパスの針で穴をあけて制作されました。モチーフはユンボやクレーンが乗った大型船や工事現場の重機、飛行機、設計の中枢を担うコントロールセンターなど。いくつかのシリーズに分

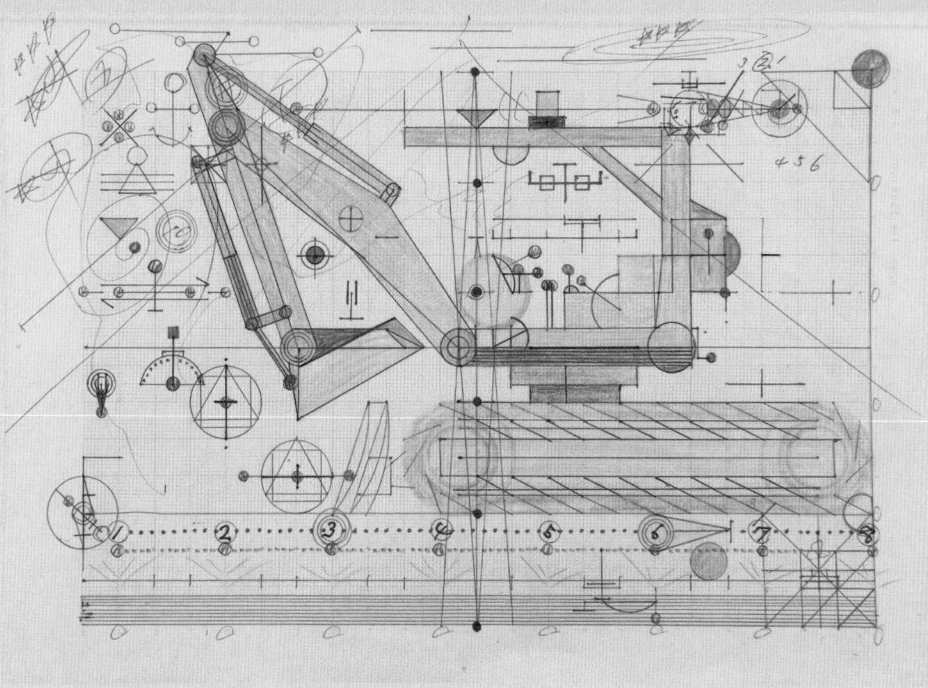

コンパスであけられた無数の穴が星空のように広がる。表面の描画が生んだもう一つの美。

下段〈クレーン〉

けられ、そのシリーズごとにある描画の法則に則って、3000点以上も制作されました。山﨑は入院する前、土木関係の仕事をしていました。作品は、人生の記憶と経験を記録に残すかのように、再構成され描かれているようです。

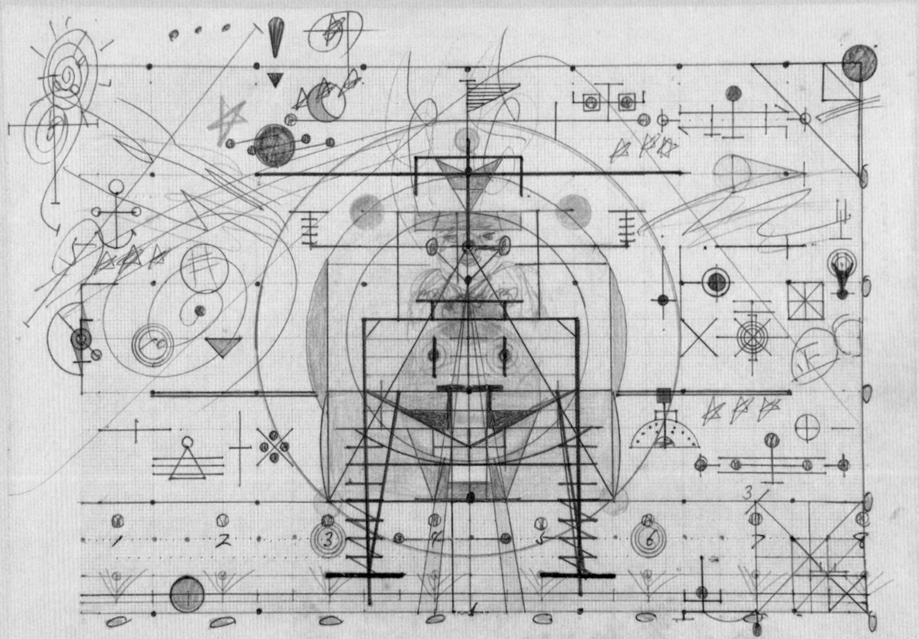

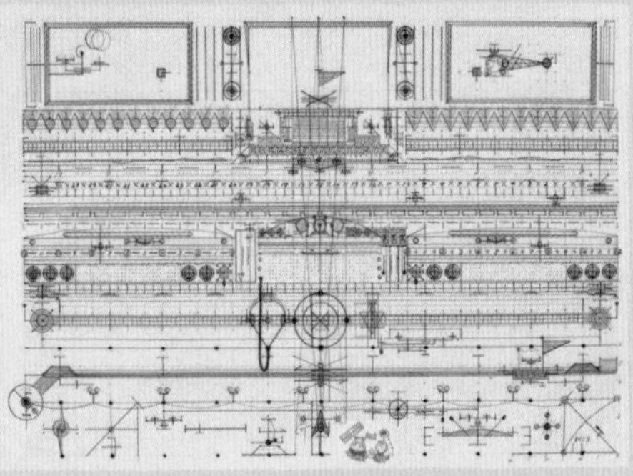

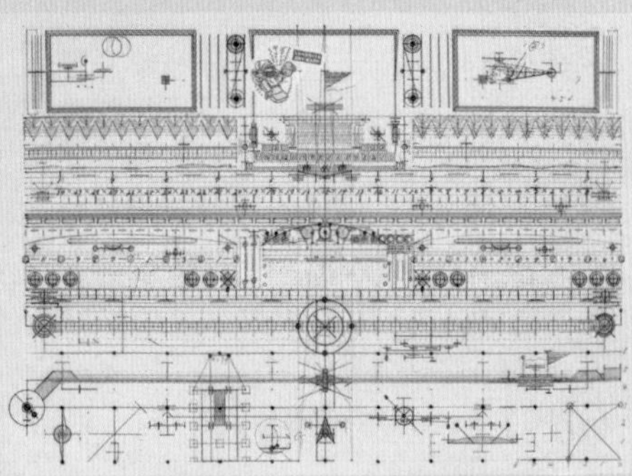

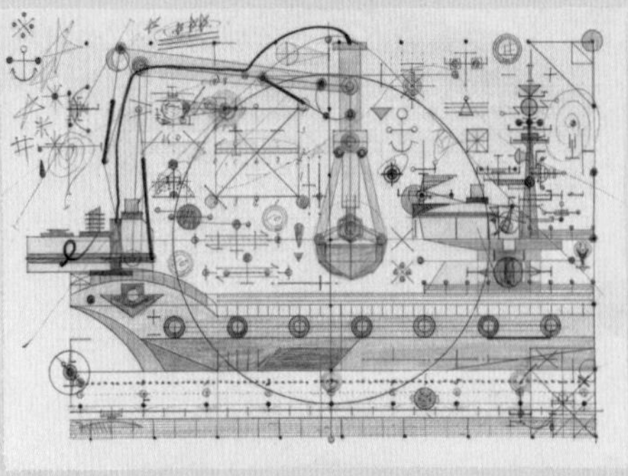

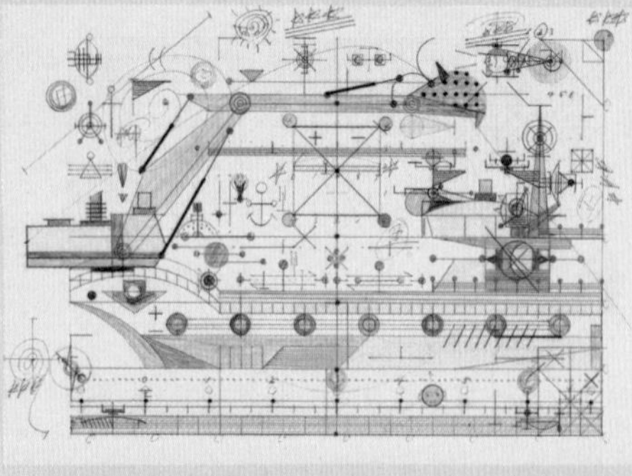

記憶を設計図におこし人生を再創造する。

中段左、中段右〈タイプライターと野菜〉下段右〈ユンボ（泥上げ）〉

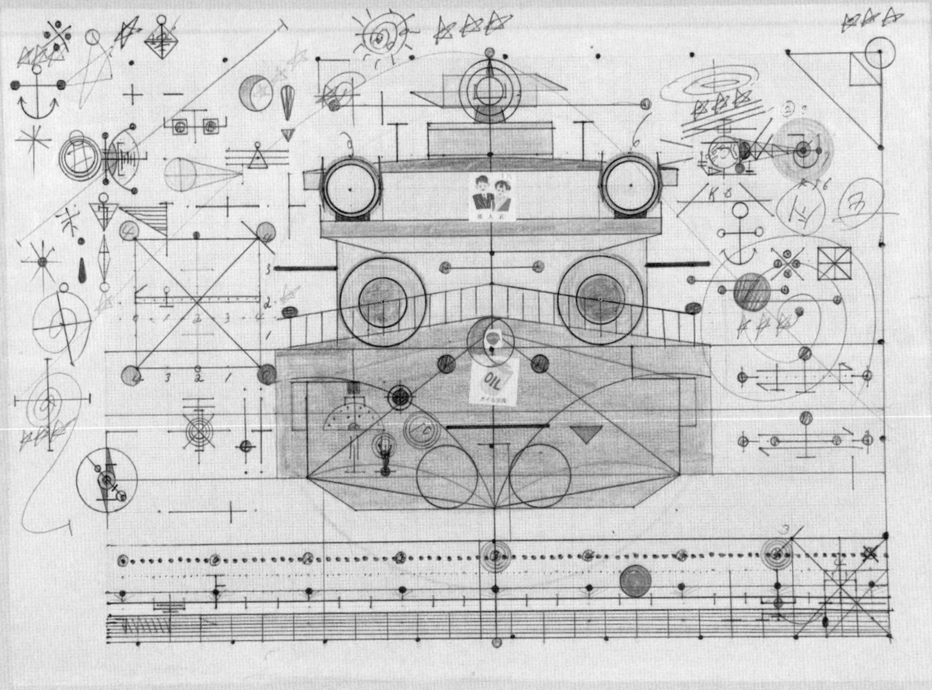

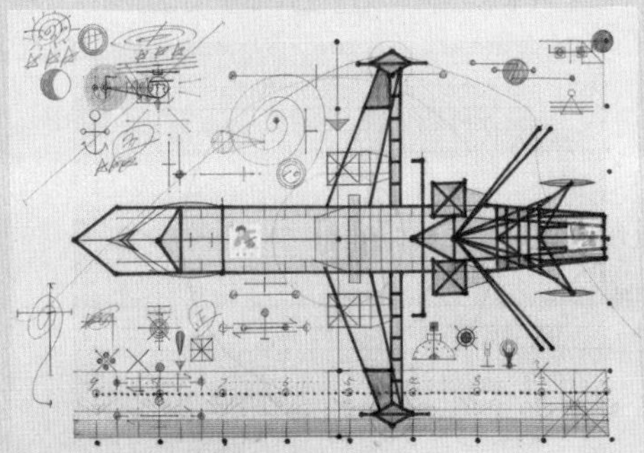

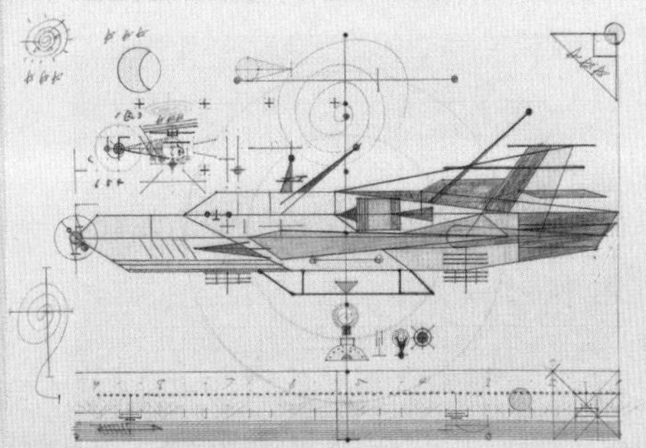

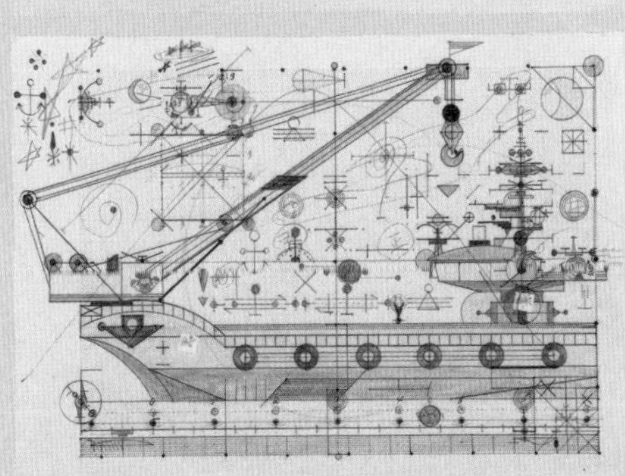

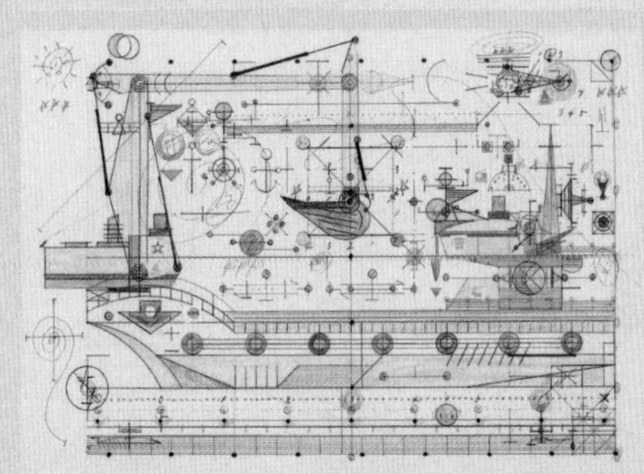

下段〈クレーン船〉

枠のない独創
世界を再創造

世界の環境系のアー

アール・ブリュットの作者のなかには、作品を「つくる」ことだけに、ただひたすら情熱を注ぐ人たちがいます。そうした人びとは、自己の内へ内へと向かう創造を果てしなく追求しており、他者からの評価を気にしません。

人に見せるのが目的ではないため、美術館に収蔵されることや、完成時の状態で長く保管されることが考慮されずに制作されているのです。

劣化しやすいセロハンテープや廃材、退色しやすい水性ペンなど、身近にある素材が使用された作品だと、補修が難しいケースも珍しくありません。耐久性が低く、数か月から数年で劣化してしまうものもあります。

あるいは、巨大な建造物、自宅そのものに施した装飾、セメントや廃材などで庭につくった何百体ものオブジェなど、保存のためにその場から動かすことが困難な作品も存在します。本書で紹介した勝山直斗もその一例ですが、海外には世界的に知られた作品も存在します。

フェルディナン・シュヴァル（Ferdinand Cheval,1836-1924）は、フランスの田舎町オートリーヴで暮らし、郵便局の配達員をしていました。道中で見つけた石に魅せられた彼は、43歳から石を拾い集め、33年の歳月をかけて壮大な理想宮殿を一人で建造しま

フェルディナン・シュヴァル
「シュヴァルの理想宮」（フランス）

性は、
する
ル・ブリュット

した。彼の死後、1969年にこの建物はフランスの文化財に指定され、現存しています。

黄永阜「彩虹眷村（レインボー・ビレッジ）」（台湾）

台湾の黄永阜（ホアン・ヨンフー,1924-）は84歳を過ぎたある日、退屈しのぎに壁に絵を描き始めました。人や動物、言葉などが壁面を覆いつくしオリエンタルな発色で色彩豊かに描かれています。今では「彩虹眷村（レインボー・ビレッジ）」として観光名所となっています。

ベイヨ・ロンコネン（フィンランド）
（©Mario Del Curto）

ベイヨ・ロンコネン（Veijo Rönkkönen,1944-2010）は周囲に疎外されながらも10代後半頃から人体彫刻の作品制作に熱中しました。野外には数え切れないほどの彫刻が溢れ、白夜と極夜のフィンランドで季節を通し制作を行いました。彼の他界後に作品はついに村人たちに認められ、保存されています。

一方で、カナダのケベック州に住むリチャード・グリーヴス（Richard Greaves,1952-）は、拾ってきた廃材で、角度も不揃いで重力にも抗うような無秩序な建造物をいくつもつくりましたが、残念ながらほとんど残っていません。

リチャード・グリーブス（カナダ）
（©Mario Del Curto）

今日、アール・ブリュットという言葉で紹介され、私たちが鑑賞できる作品は、本来あるはずの全体数から考えるとごくわずかです。作者本人が発表しない場合、誰かが作品を見つけ保管するという幸運がない限り、多くの作品は人知れずつくられ、なくなってしまうことがほとんどです。長くはその姿が保たれず、年月を経て移ろいながら朽ちていき、なくなってしまうのです。

しかし、私は時として、アール・ブリュットが持つこの儚さを美しいと感じます。一時だけ存在し、その時、その場でしか見られないものがあることは、自然や命などを連想させ、それら有限なものを尊ぶ気持ちに繋がります。

また、創作に向かう目的が他者（外）になく、自己（内）にあるという点は、アール・ブリュットに見られる既成概念に縛られない伸びやかな表現に大きく寄与していると考えられます。

海外のアール・ブリュットの美術館に行くと、作品の前で学芸員が子供たちに話をしている場面によく出合います。作品を通して、描かれた世界観や作者の想いについてみんなで考える体験をしているのです。

アール・ブリュットは、作者が作品について語らなかったり、人知れず制作していたりします。それゆえ、謎が残された作品も多く存在し、鑑賞者は常に想像力を求められます。答えや理由を求めず、わからなさや不思議さを抱え続けることは、エンパシー（※1）を培うことに繋がる重要なプロセスです。

つまり、アール・ブリュットを通して、相手を想像し、時に共感する能力を育む教育が行われているのです。大人にとっても同様で、自分と違う人生を生きた他者に出会う体験は、社会全体のエンパシーを培う大切な装置になります。

アール・ブリュットのつくり手の想いを想像することで浮かび上がるそれぞれの物語は、私たち人間がいかに多様で、誰とも代えられない固有の生を謳歌する存在であるか、という人間の本質を伝えてくれます。それは、国や人種、ジェンダー、職業、障害の有無、社会的な地位など、さまざまな境界を凌駕し、一人の人のかたちに光をあてるものなのです。

※1　他者の心情をくむこと、共感すること。シンパシーと似ているが、エンパシーには同情の気持ちが含まれていない（他者と自分を同一視しない）ところに違いがある。

〈参考文献〉『アール・ブリュット―野生芸術の真髄』ミシェル・テヴォー、杉村昌昭（訳）、人文書院、2017年

作品一つひとつに込められた「ものがたり」

不規則性の美

西山の作品の本質は不規則性の美と言えるでしょう。描かれる線やかたちは、不規則かつ抽象的で、西山という作家ならではの複雑な世界観を保持しています。不規則がゆえに、線やかたちのバランスが整わない危うさを伴いながら、美しさを感じさせる画面が構成されています。心臓疾患を抱えていた西山は、運動することを制限されていました。そんな彼に養護学校の担任教諭が、紙と鉛筆とペンを渡したのが絵画制作の始まりです。その後、絵画教室に通い始めたのをきっかけに、アトリエにあるさまざまな素材や画材を選んでは試す日々

西山 洋亮

（にしやま・ようすけ）

1988－2015年　東京都出身

アンバランスの危うさを伴いながらも、紙面全体は圧巻の構成バランス！

〈西山洋亮の世界〉

を送りながら、制作の幅を広げていきました。自宅では、大好きな兄の傍らに机を置き、夜中までに熱心に制作していたそうです。一度に1枚のページを描きあげることはなく、スケッチブックのページを行ったり来たりしながら、少しずつ

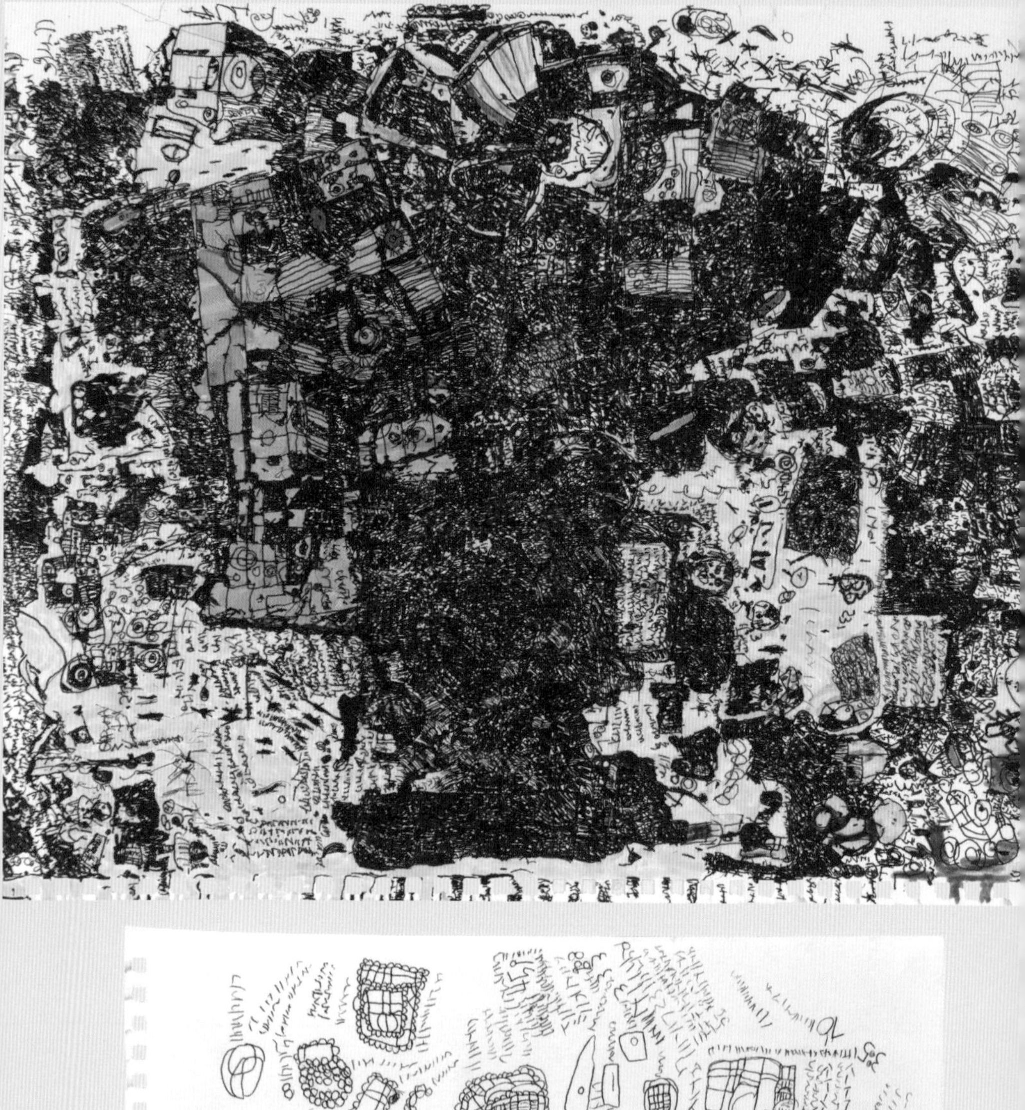

〈西山洋亮の世界〉（部分）

構図、配色の仕方も不規則なのに、偶然と必然が交じり合うようなかっこよさ。

たまに登場するキャラクターに思わずクスッ。

P158-159 全て〈西山洋亮の世界〉

描き足されます。ずいぶん前に描いたページに、数年後にまた少し描き足すということを繰り返すため、どの作品においても制作期間が定かではありません。言葉がほとんど話せなかった彼は、自由な世界を創作することで、自己を表現できる喜びと、世界と繋がる方法を見つけたようでした。そんな西山の制作背景を思うと、作品という捉え方自体も周りの固定観念であるのかもしれません。

飽くなき遊びしかつ

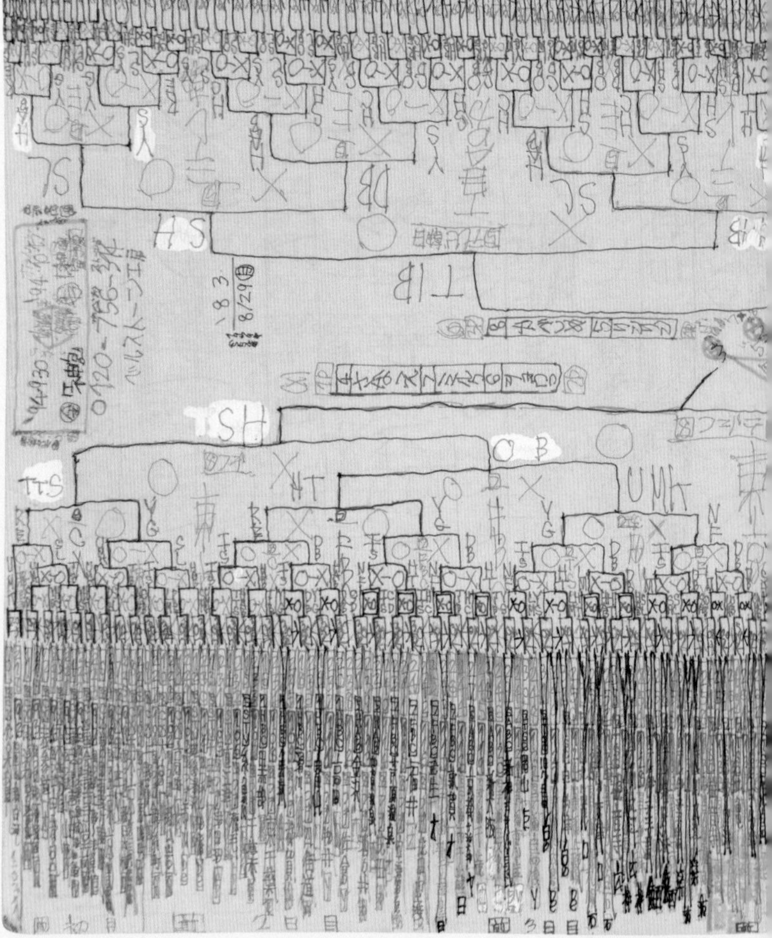

池田の頭の中には、電車やバスの路線図、日本の地理が記憶されており、私たちがインターネットを用いて行う複雑な乗り換え検索を、何も見ずに繰り返しています。彼のシミュレーションの結果として制作されるカラフルなノートは、いくつかのパターンに分かれます。①電車の経路や時刻・料金などが描かれたもの　②好きなアニメや球団名・地名・放送局名などを組み合わせたトーナメント形式のゲーム表　③放送局や地名やキャラクターを組み合わせた複雑な数式表　④まだ解読できていないパターン。トーナメントには、池田がゲームをした結果が主に反映されていますが、オリジナルのルールにしたがって遊んでいるようで、その法則は未だ解読されていませ

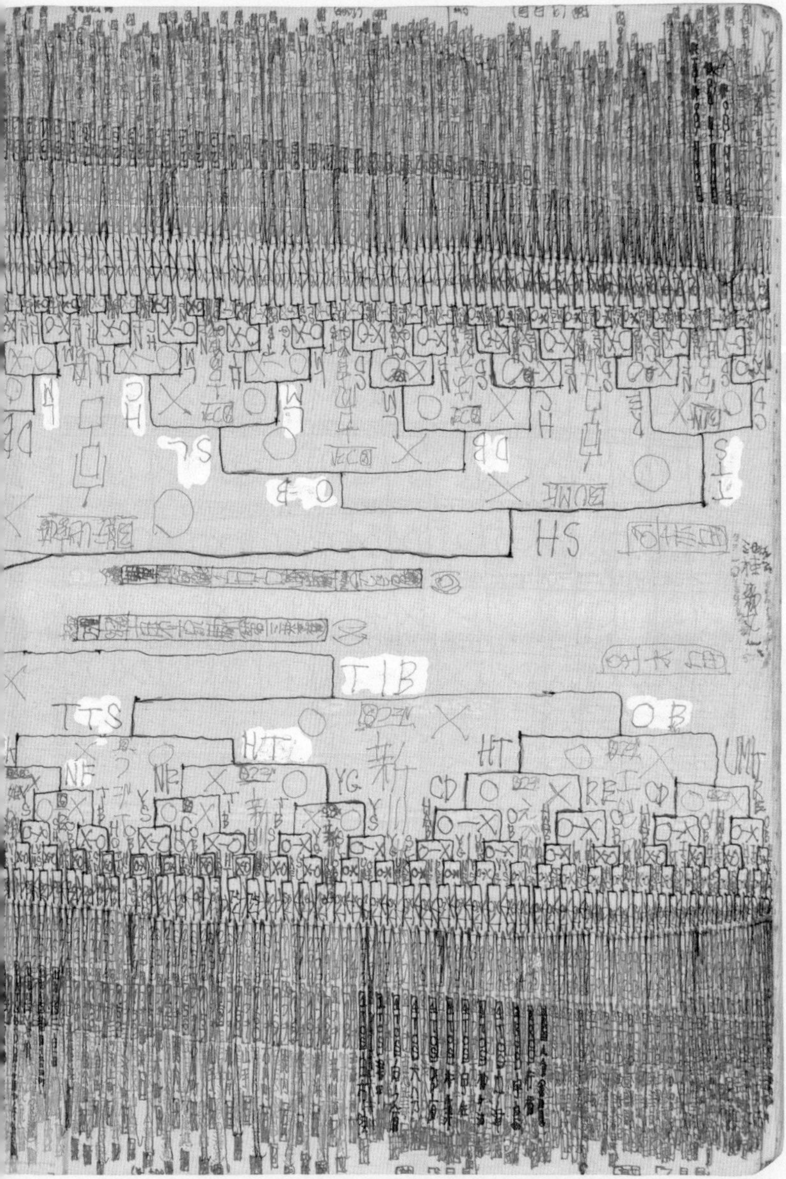

池田 真悟（いけだ・しんご）

1984年生まれ　東京都在住

見た目の彩りは美しさを意識したものではなく、池田が持つ必然のルールが生み出す。

ん。ノートに出てくる名前についても独自の決まりがあるようで、例えば「まる子（キャラクターの名前）＋巨人」にはオレンジ色を用いるなど、組み合わせと色が変わることはありません。池田の電車好きは、幼児期に両親がいろんな乗り

池田のマイ・ルールを解読してみよう！

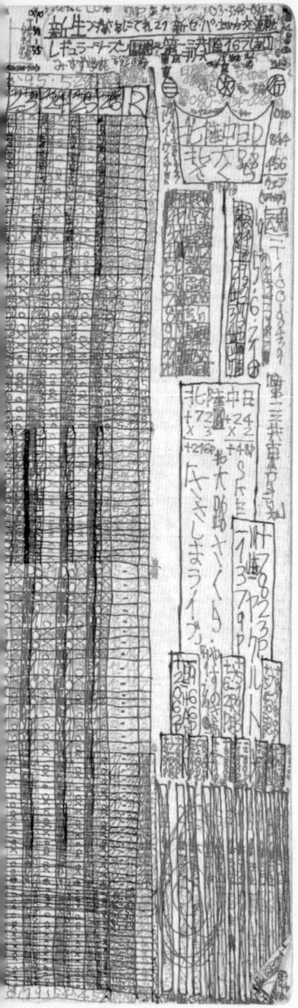

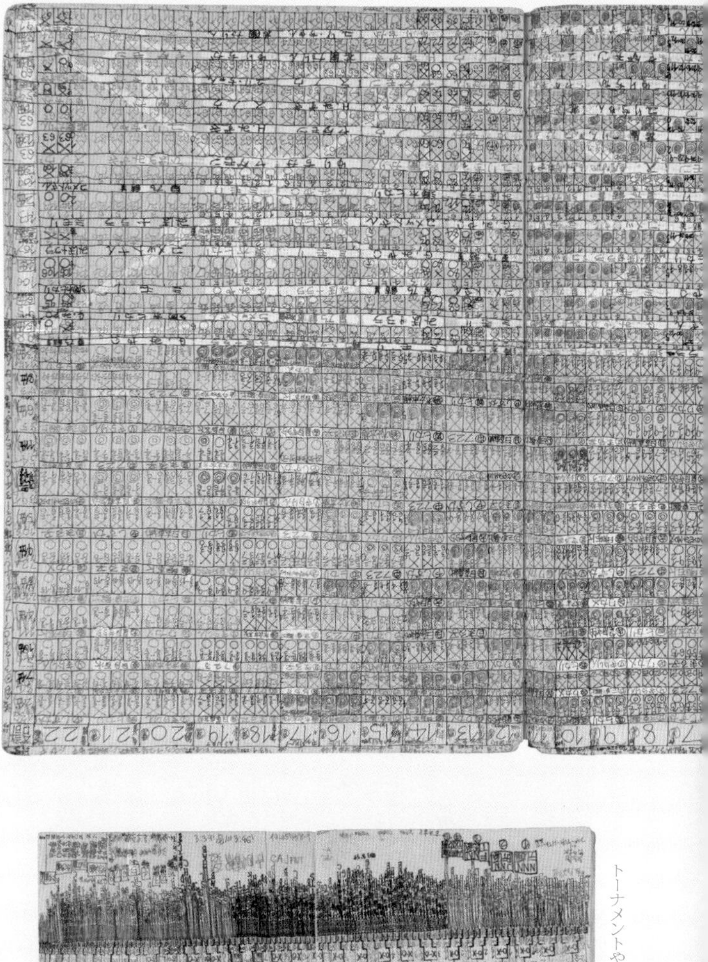

さまざまな人物や事柄を巻き込み、転換、配置している。

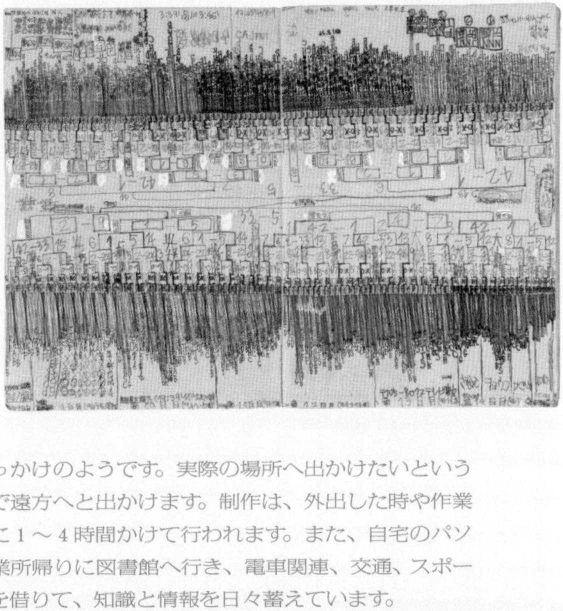

トーナメントや登場する名前に独自の法則あり。

ものに乗せてくれたことがきっかけのようです。実際の場所へ出かけたいという欲求も強く、電車を乗り継いで遠方へと出かけます。制作は、外出した時や作業所の昼休み、あるいは夕食後に 1 ～ 4 時間かけて行われます。また、自宅のパソコンで検索したり、休日や作業所帰りに図書館へ行き、電車関連、交通、スポーツ、放送、科学、音楽等の本を借りて、知識と情報を日々蓄えています。

独自の観察眼と評価指

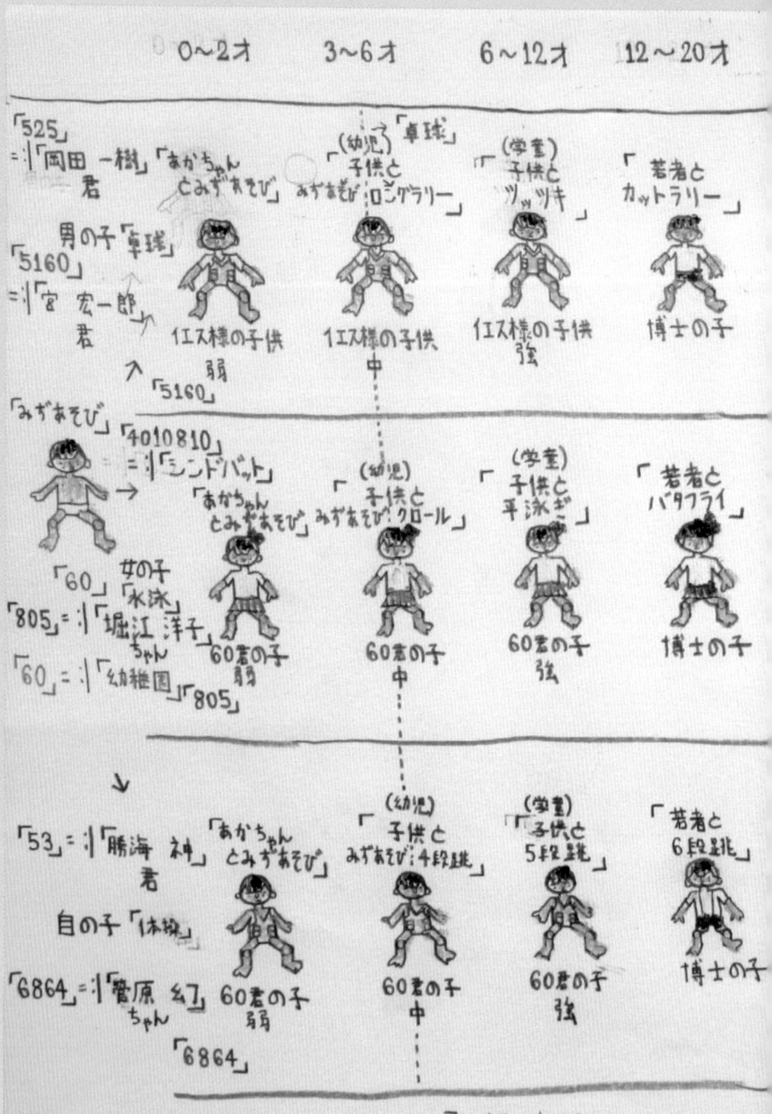

作品には多くの人間が描かれ、その傍らには生態を示す言葉や数字が記されています。成長過程は「運動能力（瞬発力、持久力、敏捷性）」や「知能指数（IQ）」で、総合的な運動能力は「エネルギー消費量（kcal）」で数値化されます。車の性能が総排気量で示されるように、人間の成長をエネルギー消費量などで段階分けして描いているのです。また作品のなかには、人間の成長過程をピアノの鍵を用いて表現するなど、独創的な世界観を

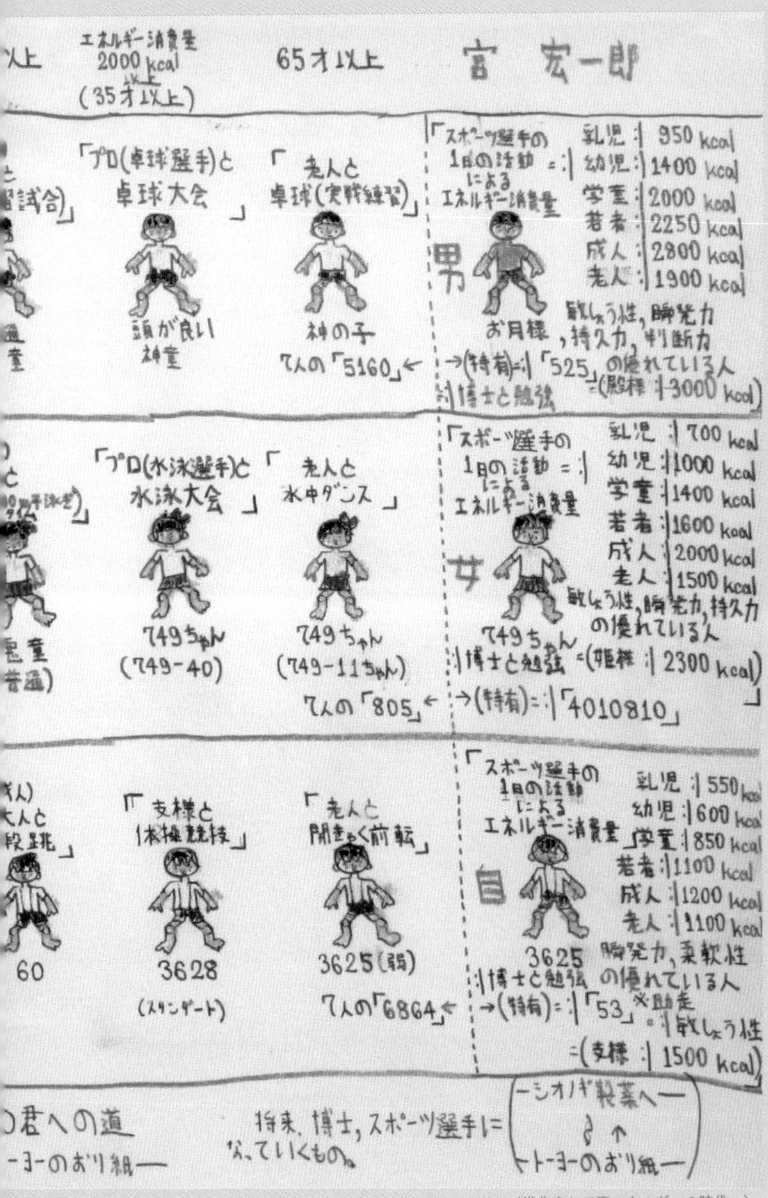

〈進化をして高エネルギーの時代へ〉

同じように描かれている人物でありながら、異なる運動能力の数値！

宮宏一郎
（みや・こういちろう）

1974年生まれ　東京都在住

示しています。ピアノの鍵は、通常 88 鍵ですが、宮の作品では 214 鍵まで描かれています。彼に尋ねると「214 鍵までの音域があったらすごい」「これは未来です」とのこと。作品では実際の物理的要素を超えるものがしばしば表現されま

す。人間が成長していく様子、科学が絶えず発展してきた歴史を知った宮は、万物における「発達」や「進歩」に強く関心を寄せており、それらへの期待や希望を絵に描いているようです。宮は幼少期から興味の湧くままに、オルガンを弾い

現実と空想が入り混じる絵は、まるで実社会の縮図とそれに対する宮の問いかけのよう。

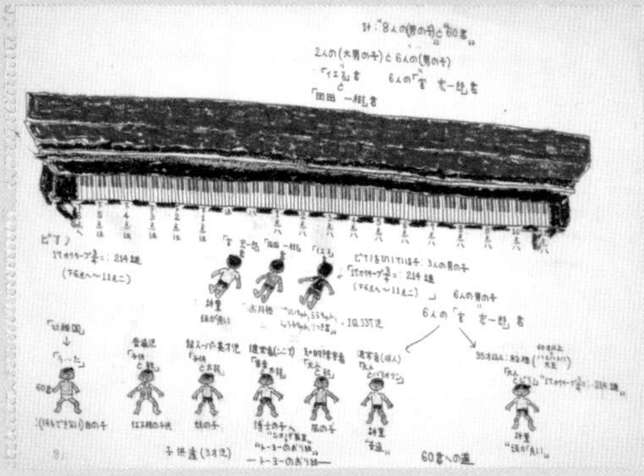

〈進化した人間 エネルギー消費量2000kcalの時代（IQ200の時代）＝ピアノ17オクタープ4分の3 214鍵〉

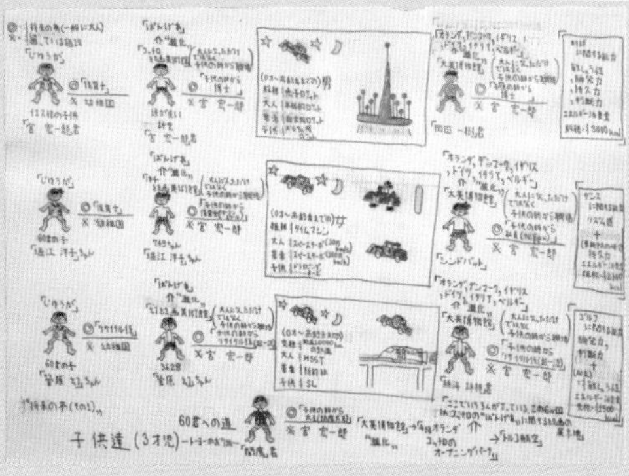

〈夢〉

自身の知識を変換、連動させ、再創造して表現された作品。

〈いい社会へ〉

たり、動物、宇宙、科学、生物などの図鑑を読みふけっていたといいます。最終的には人体に関する図鑑に興味を持ちましたが、次第にこれらの体験や蓄積された知識を統合して独自の世界観を構築し、中学生の頃から描き始めました。

無限に広がるパラ

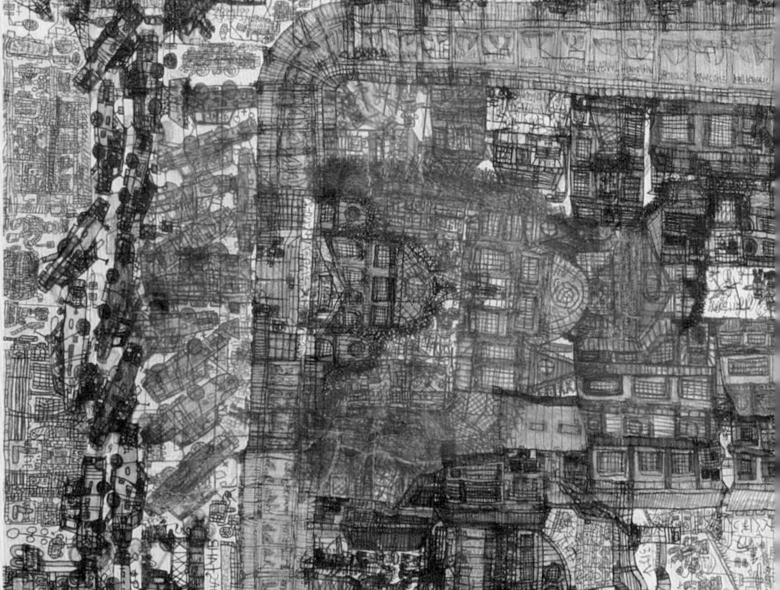

古久保の制作は小学校へ入学した頃から始まりました。対人関係が苦手だった彼にとって、教室にいられる唯一の方法が絵を描くことでした。そのため、毎日のように、持参したノート（自由帳）やカレンダーの裏などに黙々と絵を描き過ごしていました。当初は、絵を描くことは情緒の安定を図るための手段だったようです。モチーフとなるものは、世界の都市や建築物、宇宙衛星、車、飛行機、船など。彼はこの世界（社会）のかたちに興味があり、インターネットやテレビ、歴史の本、旅先

古久保 憲満
（こくぼ・のりみつ）

1995年生まれ　滋賀県在住

自由な組み合わせで再構成された四次元世界。

〈カナダの町〉

で撮った写真などから描きたい題材や情報を集め描きます。世界の国々の政治や経済、社会の周縁にある貧富の格差や刑務所、一方では行楽地や繁華街なども含みつつ、社会のあらゆる断片を描いており、この世界を俯瞰しているかのようで

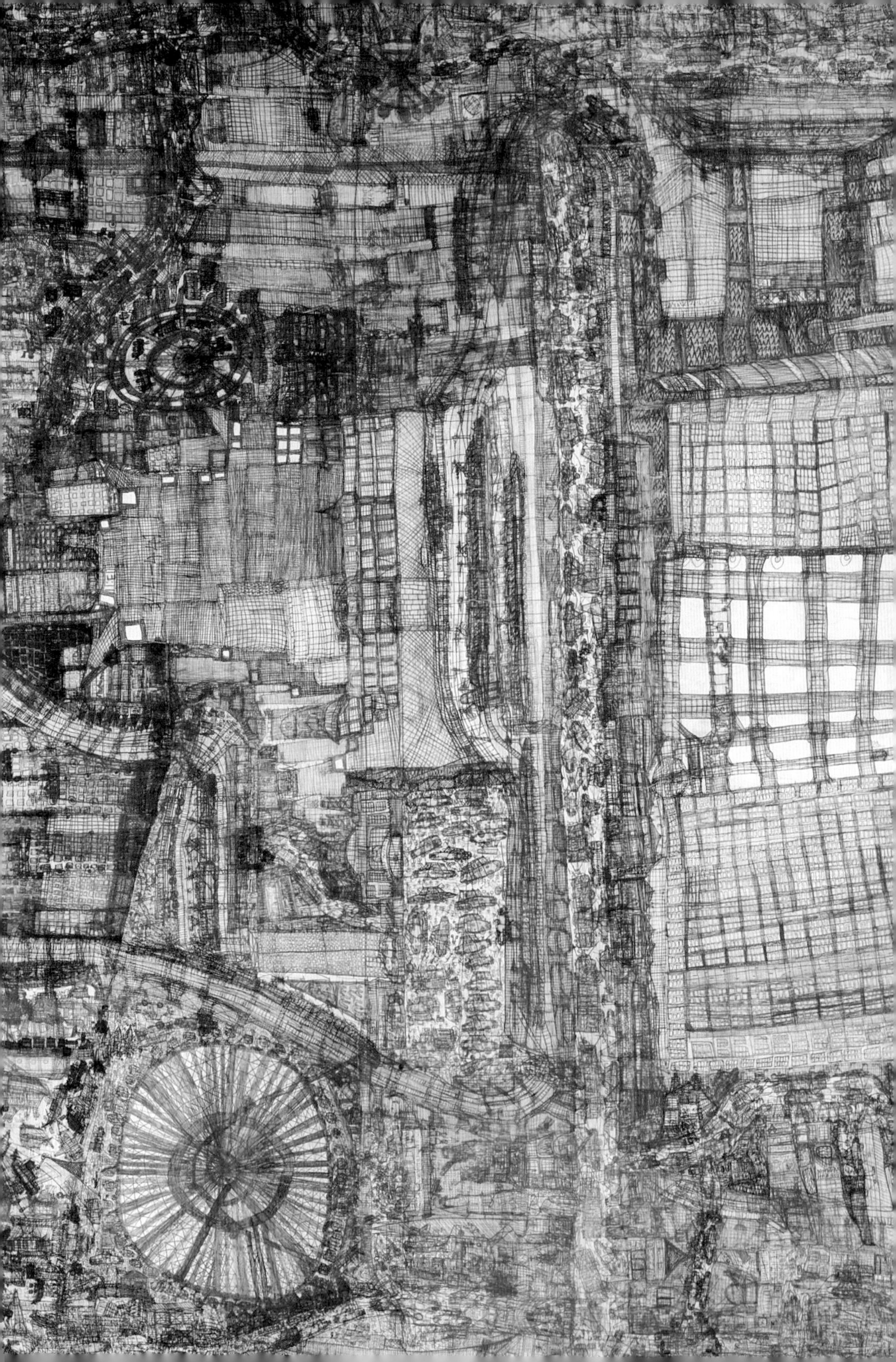

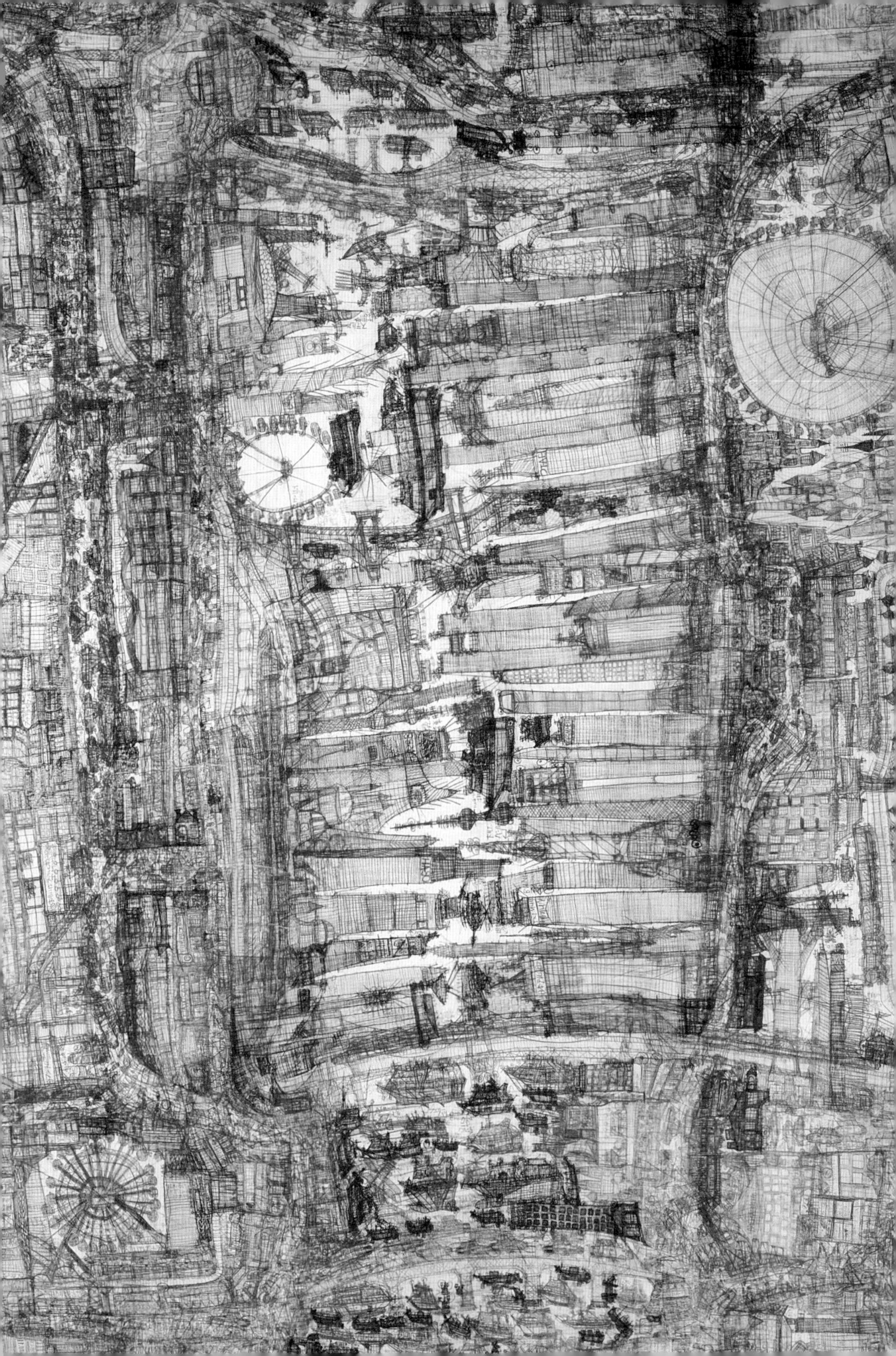

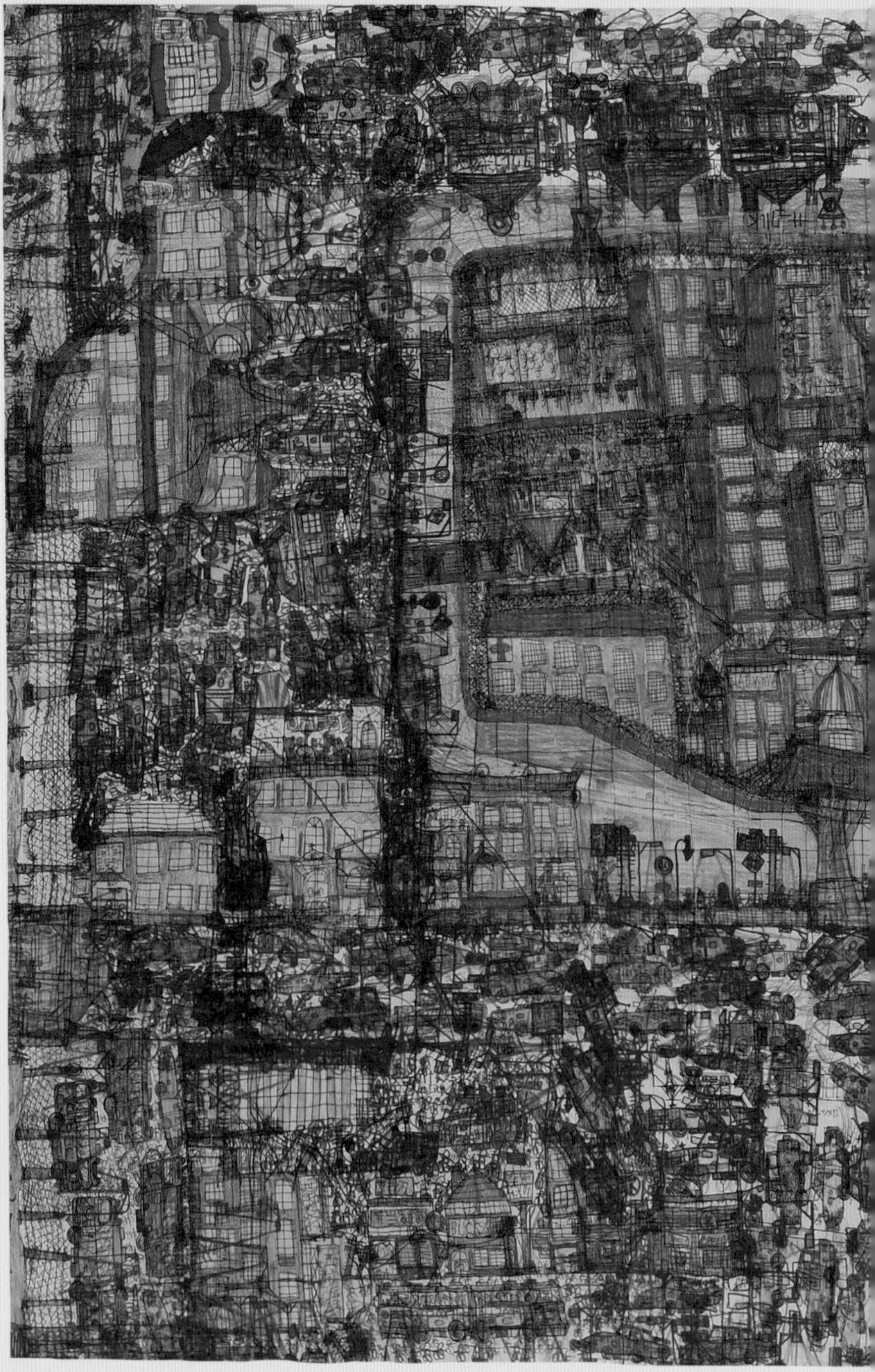

す。また、さまざまな建築物や乗り物を自由に組み合わせることによって、全く新しい街を創造してしまうところも魅力的です。例えば、日本の城の横にイスラム建築のモスクがあったり、現代建築で見られる高層ビルが混在していたりしま

街の喧騒が聞こえてくるようなにぎやかな画面。

〈北朝鮮とアメリカの刑務所をモデルにした街〉

す。古久保の作品は、多種多様に組み合わされた都市のかたちや天地の無い自由な描写、未来の構造物の創造によって、私たちを三次元の日常から四次元の世界に誘います。観る者を情熱的で不思議な力に出合わせてくれるのです。

その文字は、街の

Coming Soon!　8/7tue-8/10fri

BILL CHARLAP TRIO

ビル・チャーラップ・トリオ

Bill Charlap(p), Peter Washington(b), Kenny Washington(ds)

繊細かつ堅実なテクニックに裏打ちされた色彩豊かなピアノの音色。

エレガントでスマートなプレイに酔う至福のひととき。

テーブル席(自由席) MUSIC CHARGE ¥7,350

Coming Soon!　8/11sat & 8/12sun ※8/12sunのみshowtimes 5:00pm & 8:00pm

KALAPANA

カラパナ

真夏の夜を清々しくさせる、爽快度120パーセントのAORサウンド。

サーフ・ロックの代名詞カラパナがコットンクラブに初登場！

テーブル席(自由席) MUSIC CHARGE ¥7,875

Coming Soon!　8/13mon

noon summer festival vol.2

noon サマー・フェスティヴァル　vol.2

noon(vo)、他メンバー未定

柔らかで、みずみずしい感性と、伸びやかな歌声をもつジャズ・シンガー。

真夏の夜に至福のひとときを贈るステージ

MUSIC CHARGE ¥5,250

Coming Soon!　8/14tue ※showtimes：3:00pm & 7:00pm　Jazz for Adult & Kids

本物のジャズを子どもたちへ！一日限り、大人と子どもで楽しむプレミアムライブ！

MUSIC CHARGE　大人(高校生以上)　¥5,250(税込)

子供(就学児童以上)　¥3,150(税込)

Coming Soon!　8/15wed

RICHIE COLE & MIKE PRICE JAZZ QUIN　T

リッチー・コール・アンド・マイク・プライス・ジャズ・クインテット

Richie Cole(sax), Mike Price(tp), Philip Strange(p), Mark Tourian(b), Larry Marshall(ds)

研ぎ澄まされた感覚と熟練されたテクニックが巧みに交わる

ジャズの醍醐味溢れた迫力のステージ。

MUSIC CHARGE ¥4,725

Coming Soon!　8/17fri-8/19sun ※8/19sunのみshowtimes 5:00pm & 8:00pm

FRANK CATALANO

フランク・カタラーノ

Frank Catalano(sax)、他メンバー未定

現在のJAZZシーンで最も熱いソロをブローする男、フランク・カタラーノ。

極太なジャズ・ファンクに気持ちよくノック・アウトされるステージ。

MUSIC CHARGE ¥6,300

Coming Soon!　8/24fri-8/26sun ※8/26sunのみshowtimes 5:00pm & 8:00pm

CHERYL BENTYNE of MANHATTAN TRANSFER

シェリル・ベンティーン・オブ・マンハッタン・トランスファー

Cheryl Bentyne(vo), Corey Allen(p), Kevin Axt(b), Dave Tull(ds)

マンハッタン・トランスファーの女性シンガーが贈るクラブ公演。

しっとりとした甘美な歌声が再びコットンクラブに響き渡る。

MUSIC CHARGE ¥7,875

吉澤は街に出掛け、自作のノートをおもむろに鞄のなかから取り出すと、それまでの穏やかな表情から一変します。何も逃さんとばかりにするどい眼光を走らせ、真剣な表情で辺りを丁寧に見回します。自作のノートに何やら書き留める表情は、まるで崇高な哲学者のようです。同行者が覗こうとすると「見たら駄目ね」と言うので、長いこと彼のノートの中身を知る人はいませんでした。ノートのなかは端から端までアラビア文字のような文字群で埋め尽くされ、表紙と裏表紙は雑誌や新聞・広告などの切り抜きで幾重にもコラージュされてい

Yoshizawa Takeshi

吉澤 健（よしざわ・たけし）

1965年生まれ　東京都在住

人知れず自宅と街中で制作をするための秘密のノート。

ます。アラビア文字に見える文字群は、有名企業（銀行や自動車メーカー、製薬会社等）の名前や、彼が外出した行程、使用したお金などの日記メモで、それらが延々と書き綴られています。一度行った場所は看板の位置や内容を完全に記憶

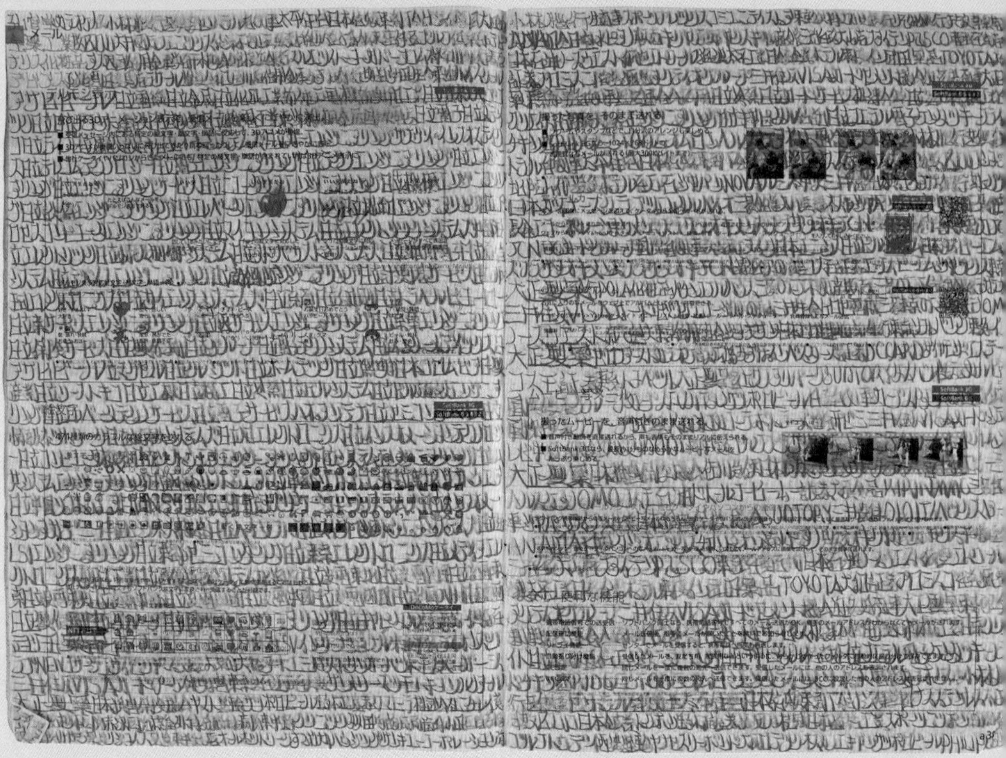

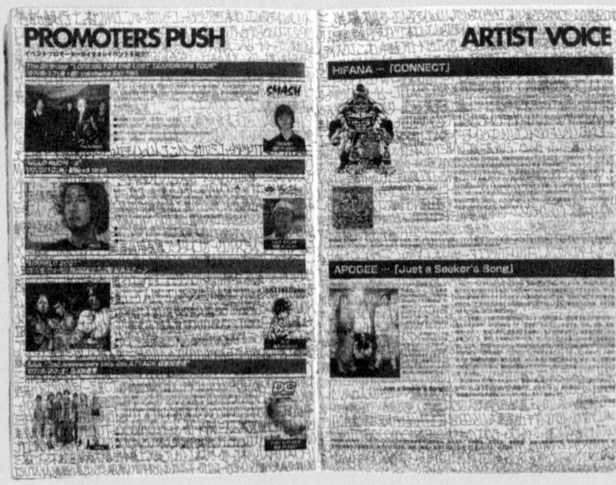

街中の文字を写し取ったノートには、よく出てくる文字もあり！

しているため、そこへ行くときに確認すべき看板のターゲットを決めているようです。ノート１冊を埋め尽くすと、側面をセロハンテープでガチガチにとめ、開かないように封印します。封印されたノートが溜まってくると捨ててしまってい

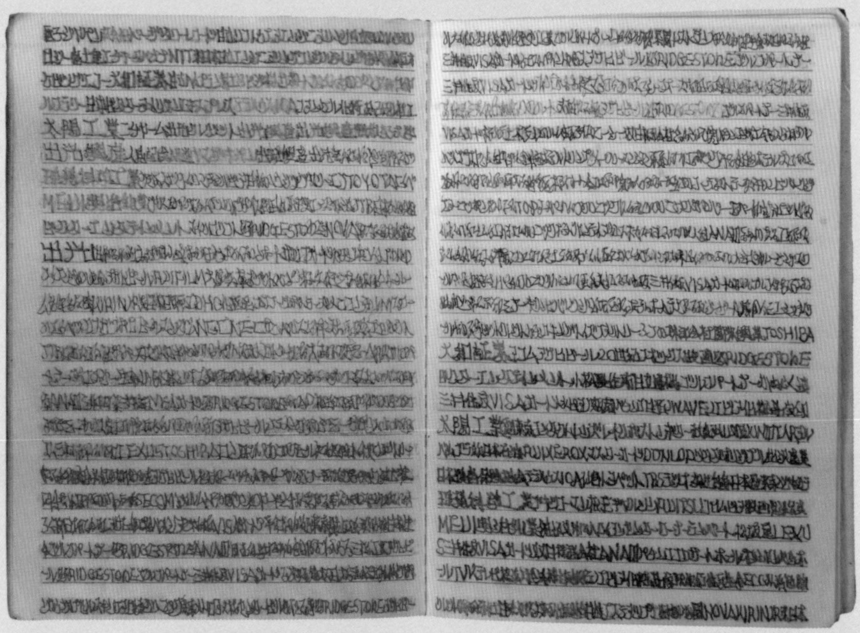

途切れることのないアラビア文字のような日本語で書き綴る、街と自分の記録。

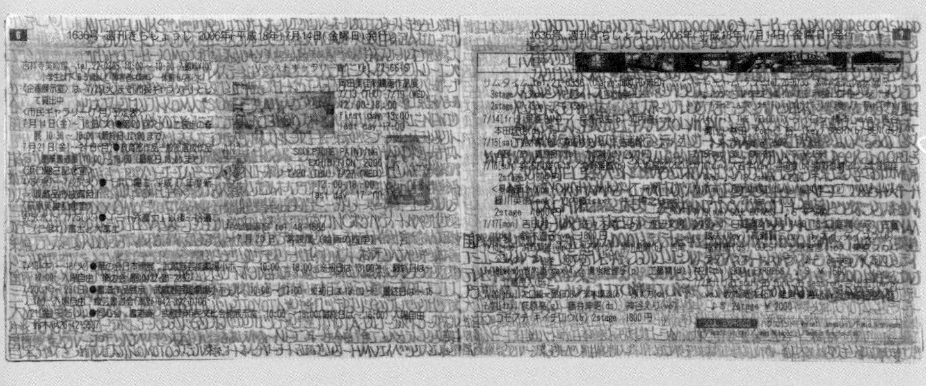

たとのことで、古いノートは残っていません。休日になると街に出て、看板を記録しながら歩き、平日は夕食後の1～2時間でノートのコラージュ制作などを行います。制作は今年で35年目を迎え、止まることなく続けられています。

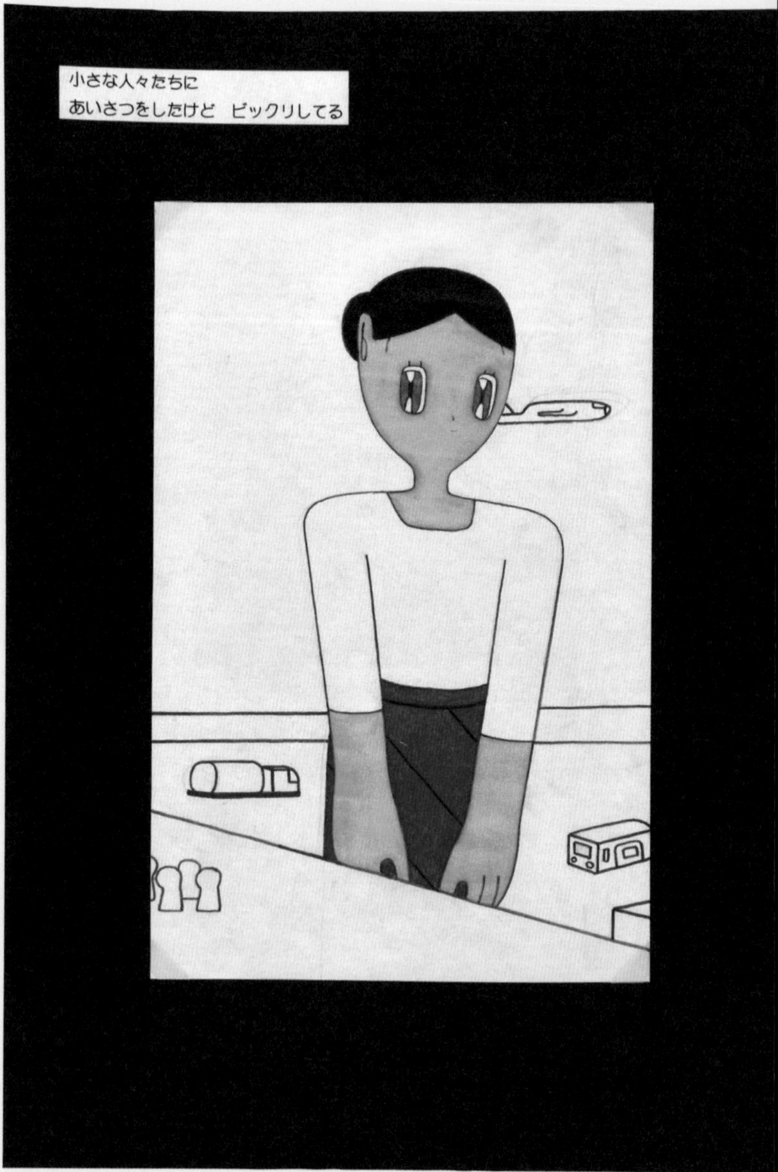

摩訶不思議で奇想天外な世界観。作品のなかで起こっている出来事に注意深く目を向けていくと、彼の意識が細部にまで組み込まれていることがわかります。平野は、さまざまな好きなもの（童話やディズニーアニメ、靴、施設職員、仲間、電車など）を断片的に切り取り、組み合わせ、コミカルに物語を展開させます。多くのシリーズに登場する「美保さん」は、彼が通う福祉施設にいた元職員です。平野には「美保さんの目は緑、そして目のなかには花びら」と細部まで明確にイメージがあります。子供の頃から好きだった

平野智之（ひらの・ともゆき）

1987年生まれ　東京都在住

美保さんや土足などの魅力的なフォルム。

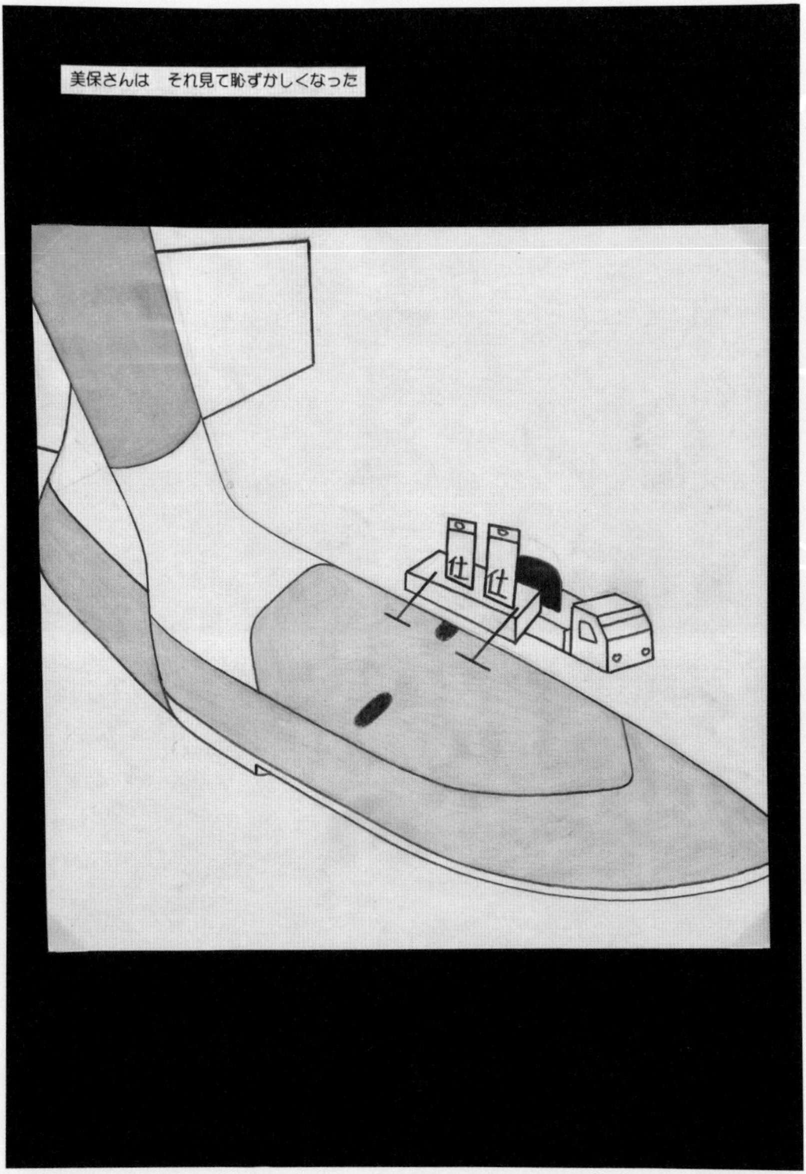

P178-181 全て〈美保さんシリーズV（中部国際空港）〉

「土足（どそく）」（平野は靴を土足と表現する）もたびたびフォーカスされます。土足が変化した乗り物内部の窓には、楽しい景色が広がります。自宅では絵の制作をし、福祉施設では作品に合わせた言葉遊びや、独特で詩的な言い回しの字幕

平野の世界観がつまった、まるで映画の絵コンテ。一つ先の展開すら予想不能！

（テキスト）をパソコンで入力します。目立たせたい主要な部分のみに色鉛筆で着色し、最後にハサミで自分が好きな構図にトリミングするスタイルは、画家というよりは、脚本から演出、配役、衣装などすべてを手がける映画監督と紹介す

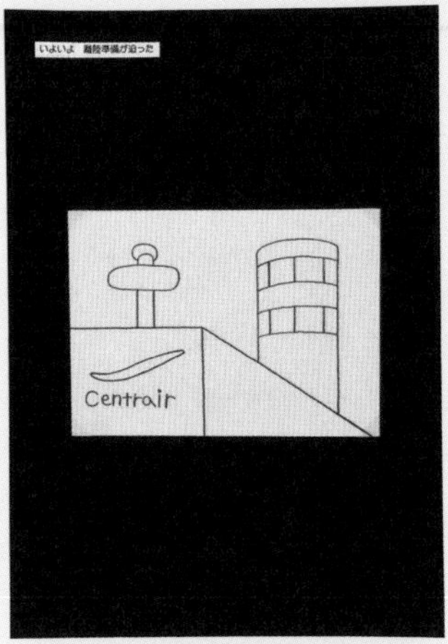

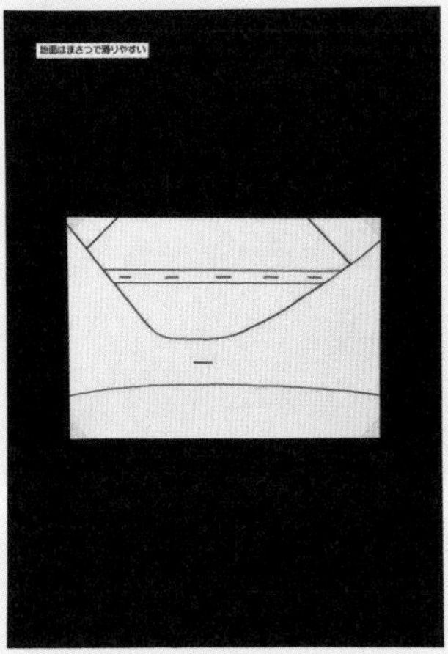

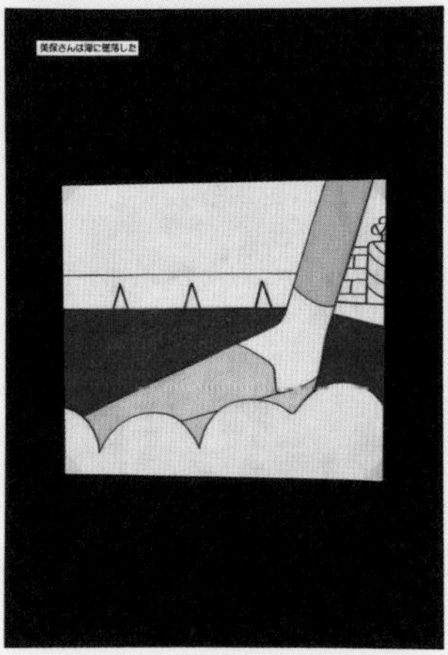

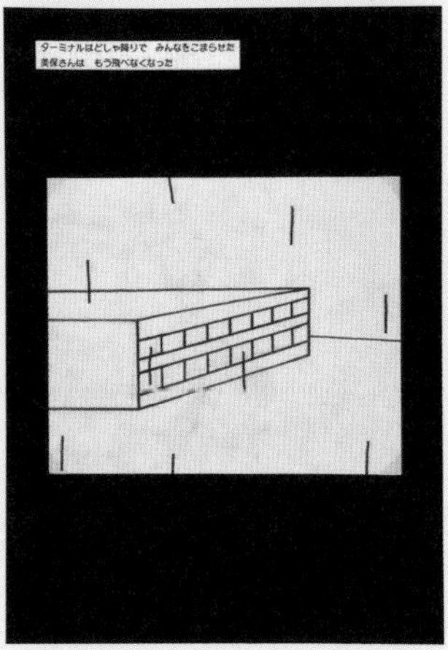

るほうがしっくりきます。平野は独自の哲学を持ち、そこから考え出されたイメージをかたちにする創造力も兼ね備えています。そんな彼の作品は、人間は何次元にも表現を拡張していけるのだということを教えてくれるのです。

生涯をかけて描き続

現在75歳になる戸谷は、10代の頃から絵を描き始めました。昔、両親が調剤薬局を営んでいた自宅で、近年は朝から晩まで制作に没頭しています。マラソン選手がランナーズハイになるように、絵を描いているその瞬間に幸福のピークを感じることがあると言っています。ただ、時間が経つとそう感じなくなることもあるようで、そのような時は「なぜ絵を描き続けるのか」という摑めるようで摑めない自身の心模様とともに制作に向かっています。作品には大きく 2 種類あります。

ける壮大な絵巻物

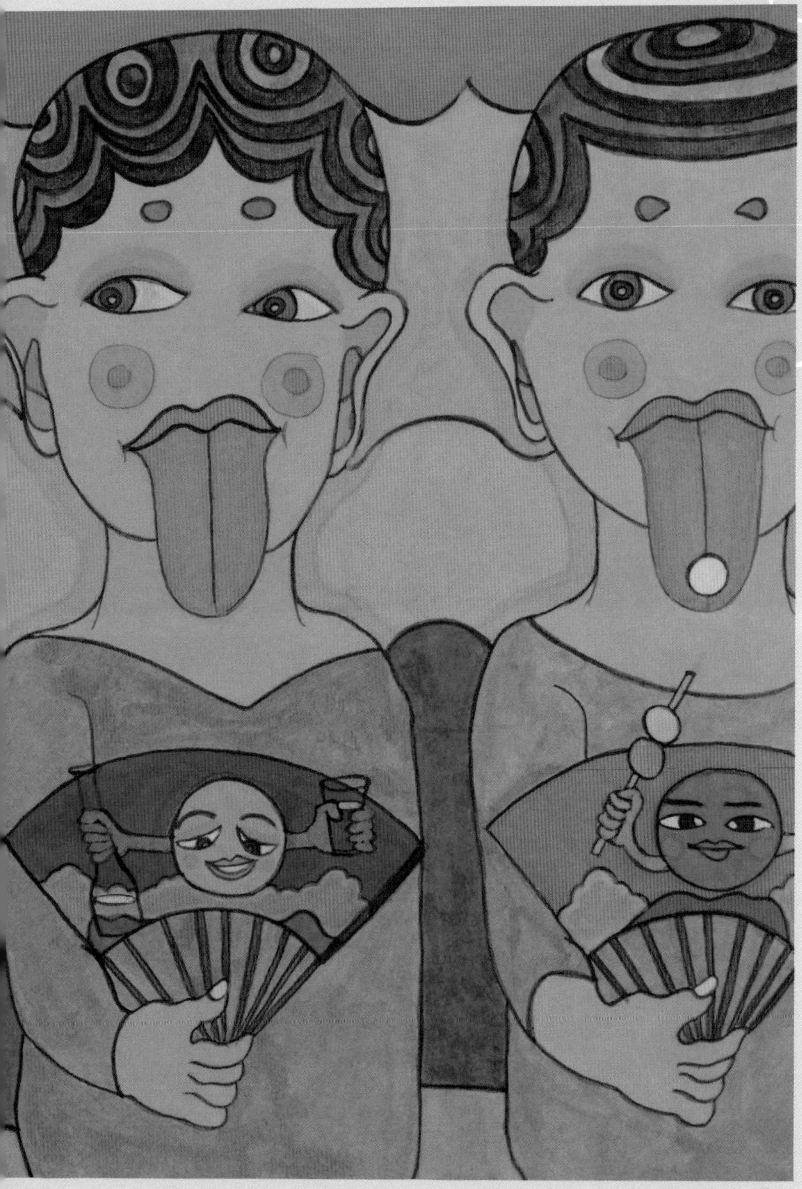

絵巻物には完成後も自身による補修が加え続けられ、そのうち何巻かは複製される。

〈No.38 1998.10.25〉

戸谷誠（とや・まこと）

1944年生まれ　東京都在住

一つ目は、B1サイズ程のわら半紙に描くもの。二つ目は、長さ約19mの障子紙に描く壮大な絵巻物です。絵巻物は、現在制作途中のものを含めて45本あります。女性や男性、神仏、架空の生物、月や太陽、山、植物など自然にまつわるものを

人や謎の生き物が繰り広げる物語に、どこか漂う静謐さ。

中心に組み合わされ、独特で穏やかな世界観と美しさを表しています。また絵巻物の何巻かは着彩を変え複製していくものもあります。何をどのような構図で描くのかを最初は決めておらず、紙面に向かいあった時に浮かんだイメージのまま

追い求める女性像を投影したかのような艶めかしく神秘的な女性が何度も登場する。

1~4段目〈No.38 1998.10.25〉5~8段目〈No.61 2001.9〉

に描いていきます。戸谷いわく「最初からイメージ（構図）が決まったものを描いていたらつまらない」。自身の中に去来するイメージを楽しみながら創作する戸谷は、紙面に飽きることのない宇宙を見つけたかのようです。

地球防衛団が綴る

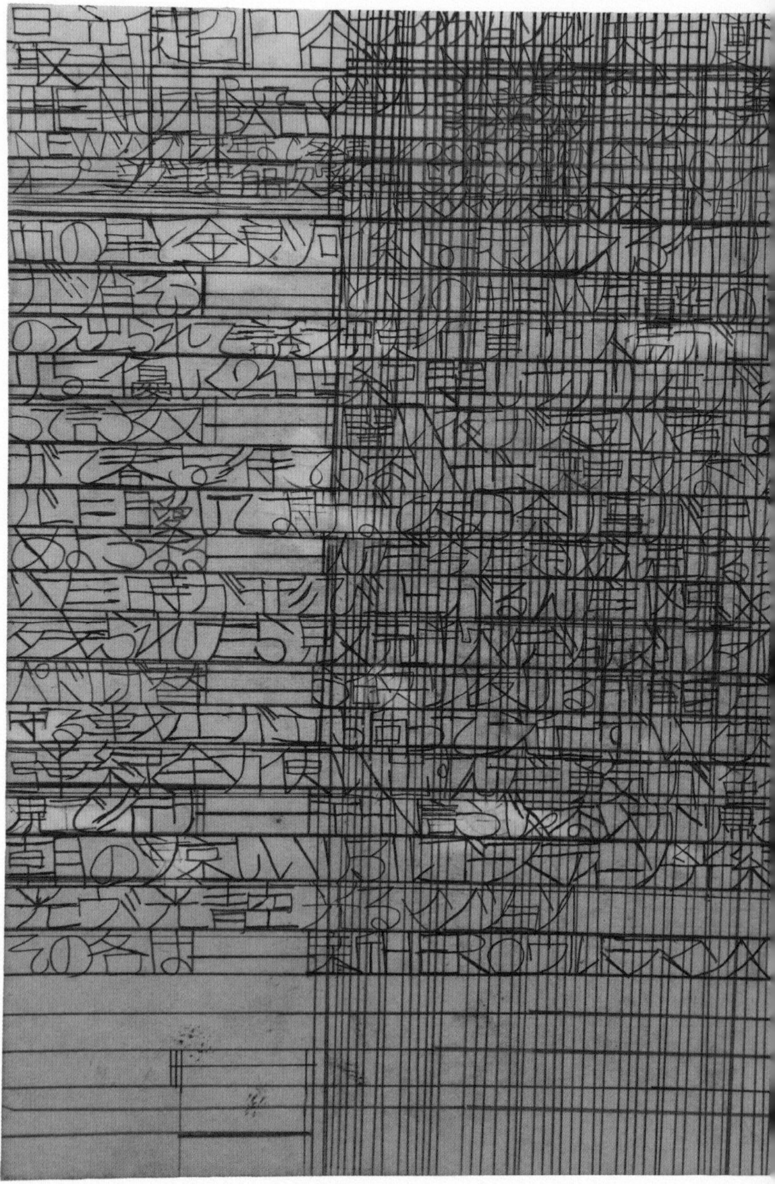

松田は社会の出来事に高い関心を寄せており、「地球防衛団隊長」として、地球を見守り続けています。テレビやラジオ、新聞などのニュースから着想を得て、主に鉛筆を使い、A4やB4のコピー用紙上を縦横に走る線を引いて、地球の平和を求めるメッセージを書き留めています。例えば、イラク戦争があった時には「○○隊員（地球防衛団の隊員として認めた人物）、ブッシュ大統領（※当時のアメリカ合衆国大統領）

松田 僚馬（まつだ・りょうま）

1981年生まれ　長野県在住

世界平和のため、メッセージを武器に話し合いで解決。

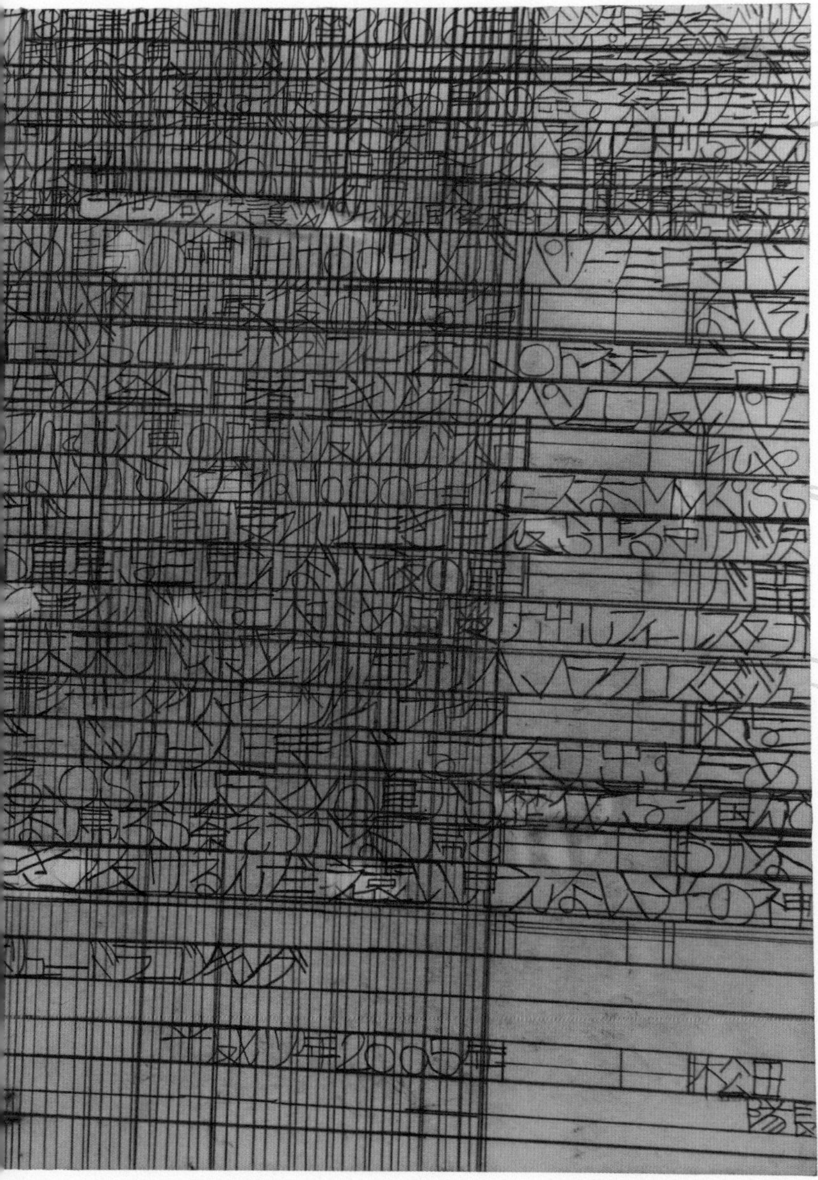

〈最高の輝き　黄金のナンバーワン〉

に戦争をやめるよう交渉に行け」と指示を出したり、「大切な家族を守り抜け出せる限りいい未来に……、二度戦争に巻走しちゃ情けないよ」と綴っています。隊員への指示、平和を求める内容以外にも、紅白歌合戦の曲名やヒーローものの

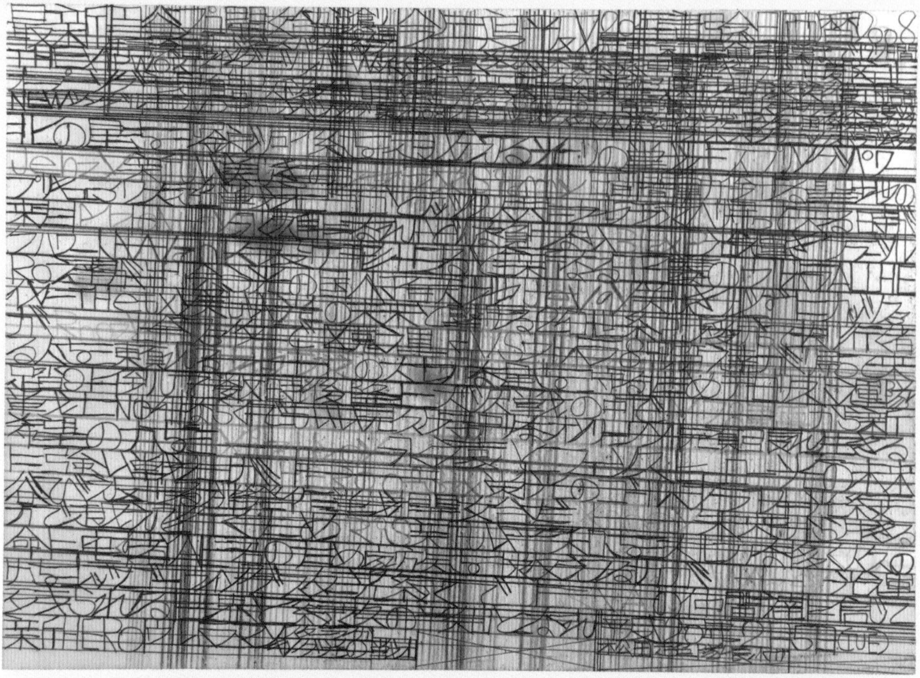

縦横無尽な線の濃淡。不思議な空白。

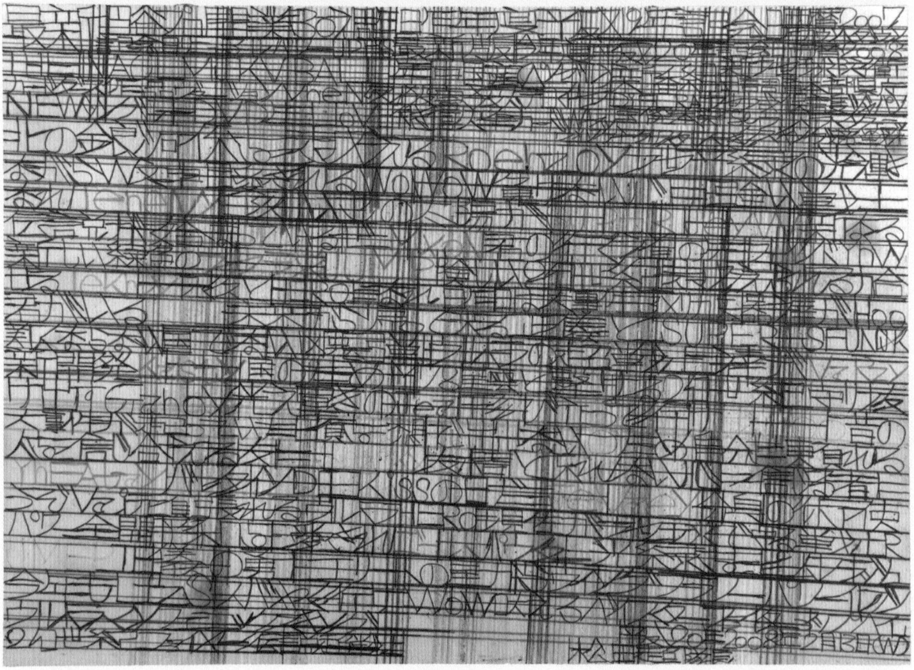

重なり合う直線は、まるで無線傍受を避けるセキュリティ装置！

上〈悲しき過去を乗り越える未来〉 下〈時の流れの時代〉

CDの曲名などが時折混ざっており、ユニークです。松田は、ウルトラマンが困っている人を助けるところをかっこいいと感じ、強く影響を受けました。そして、紛争で苦しむ人々の姿をメディアを通して目の当たりにし、ウルトラマンの

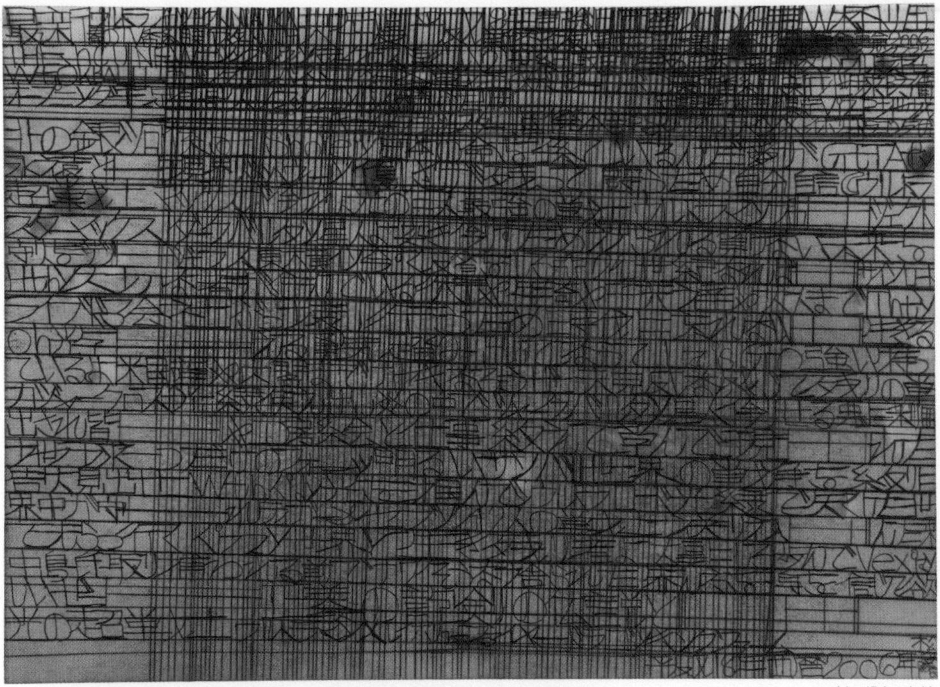

楽曲名も混じった独特の言葉で綴られる紙面。

〈古い過去の未来〉

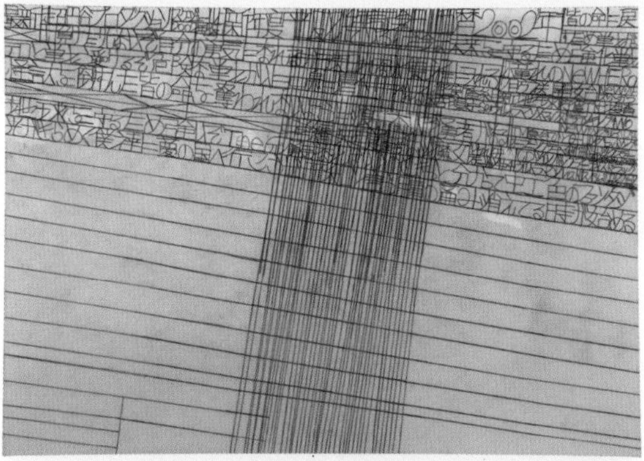

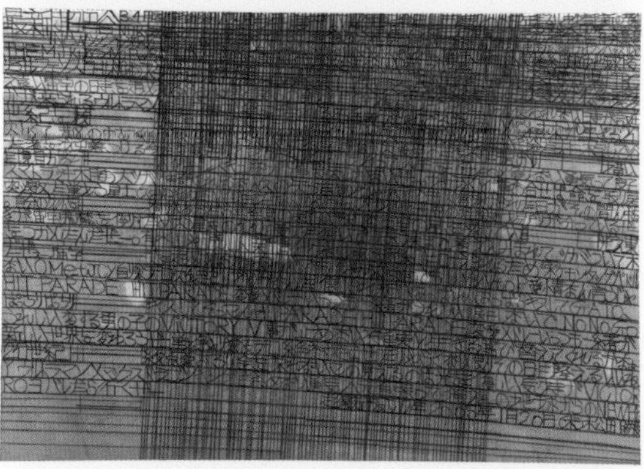

上〈スーパーラッキー最高の2019〉 下〈もうひとつの忘れない最高のプレゼント〉

ように悪と戦おうと、平和のメッセージを綴っているのです。松田は「365日24時間、隊長には休みがなく忙しい」と口癖のように言います。松田が率いる地球防衛団は、みんなの笑顔を取り戻すために、隊員と力を合わせ、話し合いで解決していくというスタンスです。そのための武器がメッセージというところが何とも痛快です。

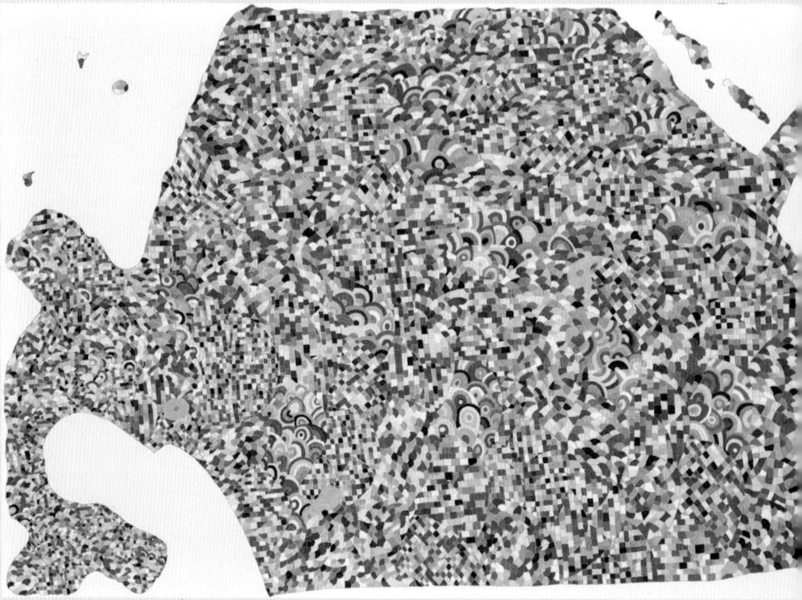

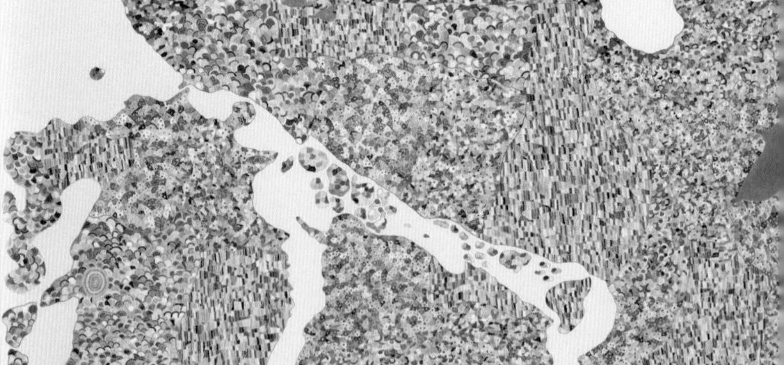

松本は2歳の頃から自宅で絵を描き始めました。幼少期から、夕焼けはなぜ赤いのか、細胞はどのような機能を果たしているのかなど、さまざまな事柄に興味を持っていたといいます。乗り物や建物、生物、宇宙、歴史などの図鑑や本を読み、それらを彼独自のイメージに変換しています。繊細な色彩と緻密な構図ですが、下書きなしで描いており、作品はいくつかのシリーズに分けられます。ここでは歴史シリーズを取り上げます。作品『加藤清正と徳川家康の陣取り合戦』では、松本が住む熊本の武将である加藤清正が、徳川家康の陣地（関東地方の淡い点描部分）を囲い込み、史実とは異なり加藤軍が徳川軍を鎮圧するように描いてあるのです。そして、目を凝らすと47都道府県はそれぞれ違う模様と色彩で描かれており、細部に至るまで徹底したこだわりが感

Matsumoto Hironobu

松本 寛庸（まつもと・ひろのぶ）

1991年生まれ　熊本県在住

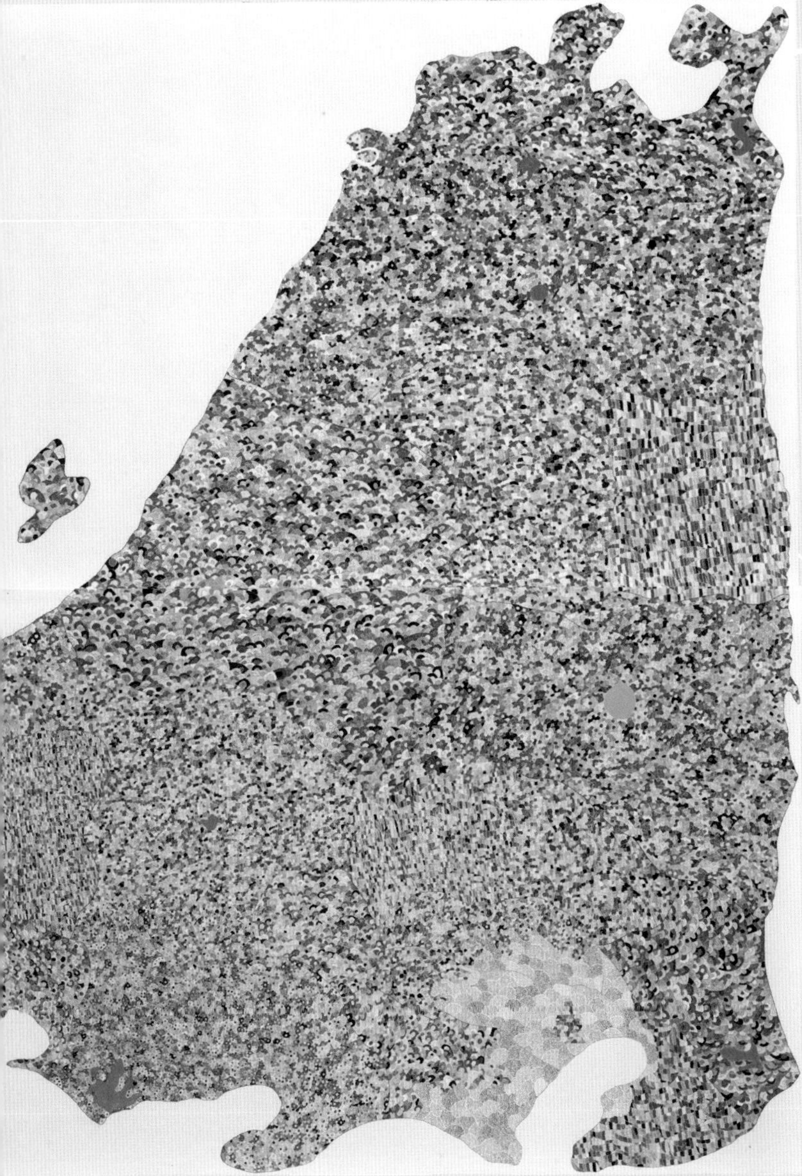

60色以上もの色鉛筆を使い分けている。

〈加藤清正と徳川家康の陣取り合戦〉

じられます。また作品『国盗り絵巻』では、淡く繊細な点描が広がり、そのなかに濃く塗られた3本の旗が描かれています。これは戦国時代の陣取り合戦を表現したものですが、点描をよく見ると、小さな四角あるいは丸といった2つの形状で描

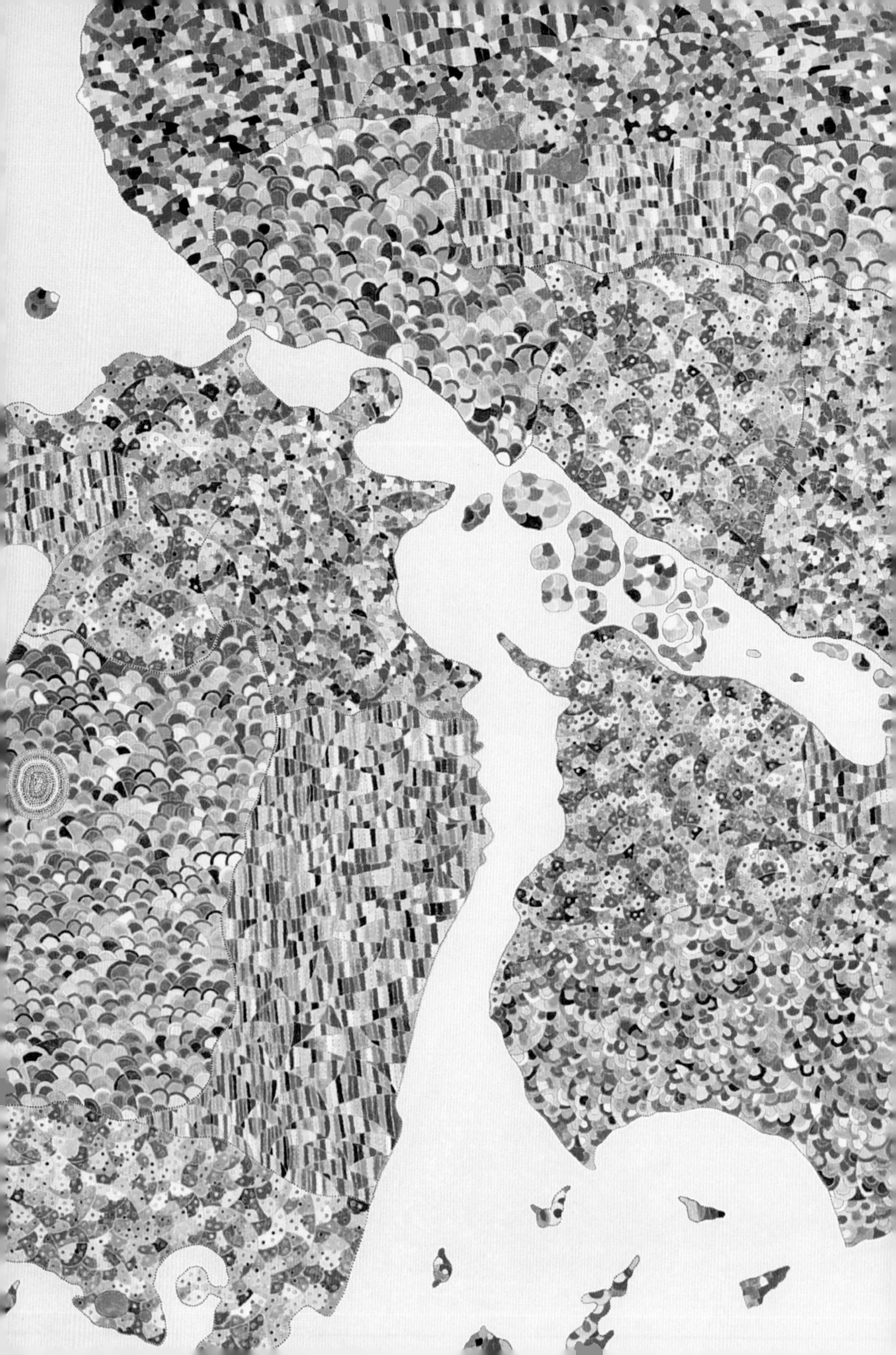

下書きなしで描かれているのに一寸の迷いも見えない筆致。

〈加藤清正と徳川家康の陣取り合戦〉（部分）

史実と空想を緻密に織り交ぜた歴史シリーズ！

〈国盗り絵巻〉

かれ、それぞれがせめぎあう両軍の陣営を表していることに気づきます。これらは2作品とも大型の連作です。大型の連作を描く時は、紙を繋ぎ合わせながら紙面を拡大し、自分の描きたい世界を自由自在に広げていきます。

凛々と舞う繊細で

西田の作品は漫画がベースとなっていることを誰が当てられるでしょうか。繊細で緻密な線画。その美しい構図には静けさと力強さが漂い、思わず息を呑みます。少年漫画が好きだった西田は、中学生の頃から漫画制作を始めますが、ストーリーを考えることが苦手で満足いくものとなりませんでした。そこで彼は、ストーリーを考えずに描くという方法を思いつき、漫画のコマから

西田裕一
（にしだ・ゆういち）

1974年生まれ　東京都在住

複雑な線の連なりのなかに、見えてくる生き物や植物たち。

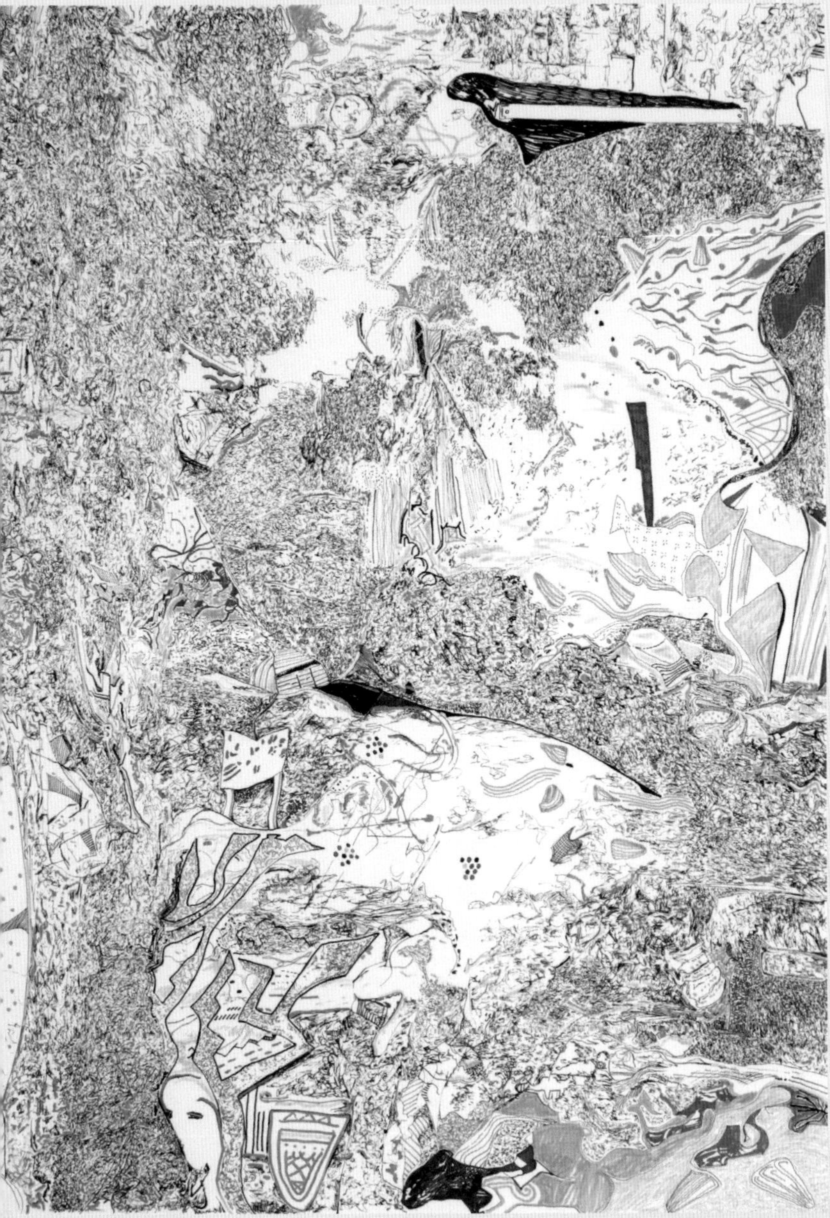

〈みかんならここです〉

コマへとストーリーが展開していく性質をとっぱらい、一枚に凝縮して描き始めたのです。ベースは漫画のため、西田が制作する一枚の紙面にもコマが存在しますが、枠を取り除き描いているので全てが一体に見えます。B1判程の紙を使用した作品は、1か月から1年以上かかるものもあります。ペースは様々ですが、年に1、2枚を自宅で制作しています。主に万年筆を使用しますが、最近はカラーペンで彩色することもあります。テーマは設定せず、その時の成り行きにまかせ、偶然のかたちを楽しみながら描いていきます。制作スタイルを確立し

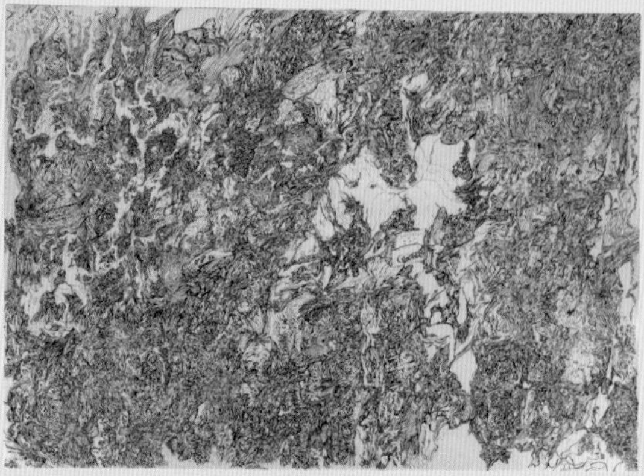

上〈まち〉下〈ひたすらウサ〉

滑らかな線の動きは、まるで音楽を奏でるよう。

〈写る雪〉

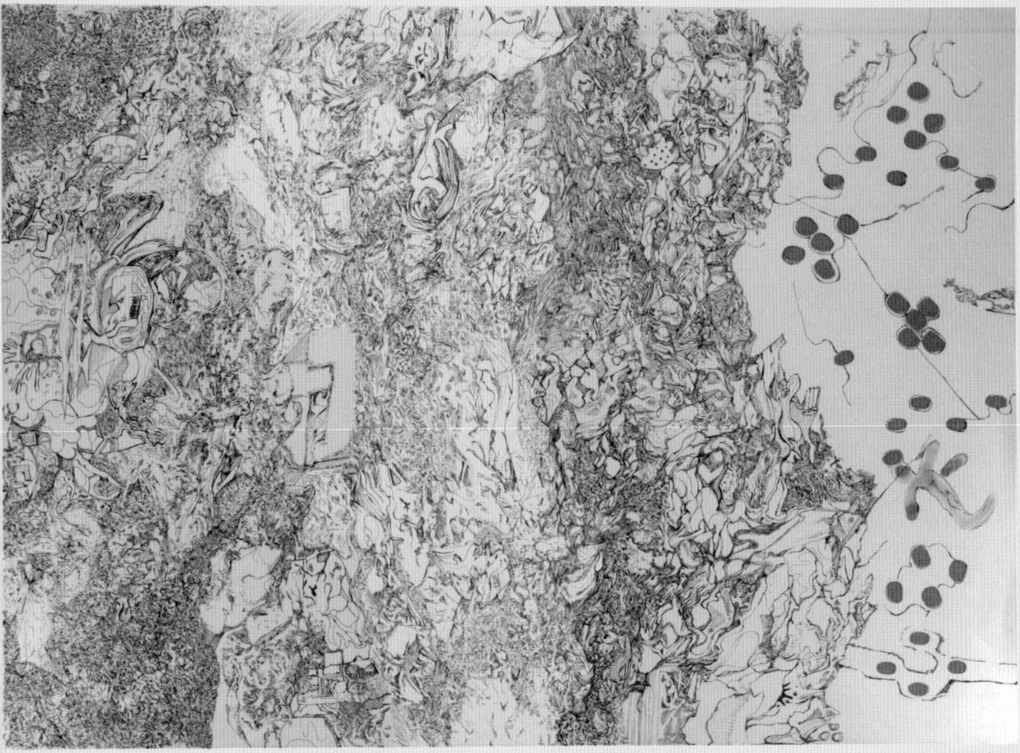

〈えみとちから〉

スカーフのような美しい模様に潜む物語。

〈蹴鞠〉

たことで、近年は地図や雑学、クイズなど、自身が関心のあるものも作品に反映するようになりました。このことは西田の描画をより一層自由にしたと言えます。

おわりに

アール・ブリュットを反芻するとき、ボブ・マーリーの「リデンプション・ソング」がよく頭に流れます。救済の歌、であると同時に自己の尊厳と精神の解放、そして自由への礼賛の歌。

幼少の頃、私は父の仕事の関係で海外に住んでおり、両親ともに芸術が好きだったことから、美術館によく行きました。たくさんの作品を観るなかで、障害のある人が描く作品に特に心が惹かれました。そして、26歳の時にアール・ブリュットと出合いました。枠にはまらない表現者たちによる自由で創造性に富む豊かな世界に衝撃を受け、夢中になり、アトリエを立ち上げ活動もするようになりました。はまりにはまって、世界や日本各地を歩き、気づけば国内外でのアール・ブリュット展を行うキュレーターになっていました。

なぜ、そんなにもアール・ブリュットに衝撃を受け、夢中になったのか。それは、それまでの私自身の生きにくさからの解放をアール・ブリュットに見たからでした。10代、20代と自我が芽生え成長していくなかで、この社会には馴染めないという生きづらさが募る一方でした。

「みんな」という言葉で求められる同質性、職業選択などジェンダーによる不均等、30歳までに結婚し家庭に入るのが女性の幸せであるという社会通念、社会やメディアから発信される価値観のベクトル（美醜問題や社会的マイノリティの差別等）、社会から求められる生き方の尺度やルールを知るごとに、私には選択肢が限られているのだと感じ、私らしさが削がれていく感覚を覚えました。同時に社会と自分との乖離に憤り、絶望に近いような感情を抱いていました。私のアイデンティティは、現実を前に呆然と荒野に放たれたような状態でした。
「わたし」は、「わたし」がありたいと思う「わたし」を選び、「わたし」であり続けたいと願う。だが、わたしらしさより優先すべきことがあるというこの社会との不協和音。
　そんな私がアール・ブリュットに見たものは、規範の枠を気にも留めず、自分のあるがままに表現する人たちの生《せい》の記憶でした。様々なかたちで、様々な色で、つくり手の数だけ個々無数に広がる無二の宇宙がそこにありました。それは、私たち人間がいかに固有で、多種多様な存在であるかをまざまざと伝えてくるものでした。その強烈で温かな生のエネルギーに自分らしくあっていいのだと勇気づけられたことを覚えています。
　今日、社会は多様性と個の尊厳を重んじるように変化してきています。「わたし」という個性に光をあて、多数派か少数派であることではなく、ひとつでない価値観や存在を尊重し合うことが求められています。それは、これからの社会へと繋ぐ大切な道標でもあります。アール・ブリュットの世界は、私たち一人ひとりが誰とも代えられないオリジナルでユニークな存在であることの価値を伝え、この世界のかたちを再創造してくれます。
　本書で紹介できたつくり手たちには数の限りがありましたが、木書を手に取っていただいた皆さまに、アール・ブリュットの魅力を体感いただくとともに、芸術を通じて多様な存在に出会うきっかけとなれば幸いです。最後になりましたが、本書を出版するにあたってご協力いただいた作者の皆さま、デザイナーの吉岡秀典さん、担当編集の西山大悟さん、関係者の皆さまに心からお礼申し上げます。

作品リスト

＊作品情報は、原則として作品名、制作年、素材、サイズ（平面作品：縦×横 mm、立体作品：縦×横×奥行 mm）、所蔵先、撮影者、画像提供元の順に記載しています。調査してわからなかったものに関しては記載していません。

＊複数の作品の情報が近似している場合は、まとめて表記していることがあります。

＊リストの作品は、記載がない限り、ページの段ごとに左から右、上から下の順に並んでいます。

いろ

重なり合う「いろ」から浮かび上がる世界

福井 誠

P12-13 〈ドックンROLL〉2012年　コピー用紙、ボールペン、色鉛筆　771×1090mm　作家蔵　高石巧

P13 〈自画像〉2012年　コピー用紙、色画用紙、ボールペン　361 × 230mm　作家蔵

P14-15 〈SPIRIT 東京 WORLD〉2013年　紙、色鉛筆、ボールペン　596×1134mm　作家蔵　高石巧

P14 〈ルール〉（部分）2012年　色画用紙、色鉛筆、ボールペン　255×363mm　作家蔵

P15 〈浮遊する〉2012年　紙、色鉛筆、ボールペン　258 × 363mm　作家蔵　高石巧

P16-17 〈双頭ドロー・ウーゲ〉2018年　紙、色鉛筆、水彩ペン　210×298mm　作家蔵　高石巧

高橋 甫

P18-19 〈授ける者〉2011年　紙、コピックペン　388×542mm　作家遺族蔵　高石巧

P20 〈山 麓〉2013年　紙、コピックペン、修正ペン　388×542mm　作家遺族蔵

P20 〈航海の時〉2013年　紙、コピックペン、修正ペン　435×623mm　作家遺族蔵

P20 〈踊る人間〉2007年　紙、コピックペン　313×407mm　作家遺族蔵　高石巧

P20 〈無 題〉2007年　紙、コピックペン　318×407mm　作家遺族蔵

P20 〈鳳 凰〉2013年　紙、コピックペン　310×435mm　作家遺族蔵

P20-21 〈仲 間（対 立）〉2007年　紙、コピックペン　311×435mm　作家遺族蔵　高石巧

P21 〈たちのほる意識〉2007年　紙、コピックペン　315×407mm　作家遺族蔵

鮓 万里絵（撮影：大西暢夫）

P22-23 〈コンプレックスカマタリ〉2015年　紙、水性ペン　536×462mm　作家蔵

P24 〈寝盗奴メメントモリ〉2009年　紙、水性ペン　532×461mm　作家蔵

P25 〈いかん(の)い！〉2015年　紙、水性ペン　1093×1580mm　作家蔵

P25 〈おってけにけてけ〉2014年　屏風、水性ペン　1680×3464mm　作家蔵

P26 〈多弁の口を止める薬〉2010年　紙、ボールペン　594×672mm　作家蔵

P26 〈ダンスダンスダンス〉2007年　紙、油性ペン　460×534mm　作家蔵

P26 〈スケッチブック〉2013-2015年　スケッチブック、水性ペン　100×328（open）,100×168×12（close）mm　作家蔵

P26-27 〈何になる〉2015年　紙、水性ペン　458×541mm　作家蔵

阿山 隆之（撮影：高石巧）

P28-29 〈ヒョウとチーターとユキヒョウの赤ちゃん〉2016年　ケヤキ、焼きペン、色鉛筆　441×658×85mm　作家蔵

P30-31 〈かえる21匹〉2011年　クスノキ、焼きペン、色鉛筆　510×691×46mm　作家蔵

P30 〈メダカの学校〉2011年　クスノキ、焼きペン、色鉛筆　498×959×31mm　作家蔵

P31 〈黒牛とフラミンゴと四葉のクローバー〉2013年　クスノキ、焼きペン、色鉛筆　495×795×55mm　作家蔵

P31 〈世界のアナホリフクロウ〉2016年　ケヤキ、焼きペン、色鉛筆　595×595×54mm　作家蔵

岡元 俊雄

P32-33 〈男の人〉2014年　紙、墨汁　1085×767mm （社福）やまなみ会 やまなみ工房蔵　大西暢夫

P33 〈マイルス テイビス〉2013年　紙、墨汁　1087×767mm （社福）やまなみ会 やまなみ工房蔵　提供：所蔵先

P34 〈男の人〉2014年　紙、墨汁　1087×767mm （社福）やまなみ会 やまなみ工房蔵　提供：所蔵先

P35 〈女の人〉2014年　紙、墨汁　1086×766mm （社福）やまなみ会 やまなみ工房蔵　提供：所蔵先

P35 〈女の人〉2014年　紙、墨汁　1087×768mm （社福）やまなみ会 やまなみ工房蔵　大西暢夫

P35 〈男の人〉2013年　紙、墨汁　1087×767mm （社福）やまなみ会 やまなみ工房蔵　提供：所蔵先

辻 勇二

P36-39 〈心でのぞいた僕の街〉2000-2016年　紙、油性ペン　412-415×596-597mm　作家蔵　大西暢夫

八重樫 道代（撮影：大西暢夫）

P40-41 〈宇宙船〉制作年不詳　紙、水性ブラシマーカー　790×1092mm　作家蔵

P42-43 〈チャクチャク馬コ〉2002年　紙、水性ブラシマーカー、油性ペン　544×767mm　作家蔵

P43 〈天気予報〉2002年　紙、水性ブラシマーカー　794×1094mm　岩手県立美術館蔵

P43 〈やさいのなかま〉2011年　紙、水性ブラシマーカー　383×542mm　岩手県立美術館蔵

稲田 萌子

P44-47 〈無 題〉2014-2017年　紙、色鉛筆、油性ボールペン（P47のみ） 362×513-515mm　作家蔵　大西暢夫

美濃部 責夫

P48-49 〈無 題〉2010年　紙、ボールペン、セロハンテープ、マスキングテープ　297×423mm　作家蔵

P50-51 〈無 題〉2014年　紙、ボールペン　179×251mm　作家蔵

P51 〈無 題〉制作年不詳　紙、ボールペン、ラメペン　212×296mm　作家蔵

P51 〈無 題〉2014年　紙、ボールペン　179×251mm　作家蔵

P51 〈無 題〉制作年不詳　紙、ボールペン　260×379mm　作家蔵

佐藤 朱美

P52-53 〈トロサウルス〉2013年　アクリル絵の具、ケントボード　297×420mm　作家蔵

P54 〈尾長鶏〉2015年　アクリル絵の具、ケントボード　728×515mm　作家蔵　提供：東洋インキ SC ホールディングス㈱

P55 〈エキサイト〉2012年　アクリル絵の具、ケントボード　727×1031mm　作家蔵

P55 〈ゴリラ〉2014年　アクリル絵の具、ケントボード　515×728mm　作家蔵

かたち

枠のない想像から生まれる「かたち」の宇宙

KATSU

P60-61〈高層ビル〉2014年　キャンバス、油性ペン　730×910×35mm　（社福）やまなみ会 やまなみ工房蔵　大西暢夫

P62〈メトロポリス〉2014年　キャンバス、油性ペン　908×730×26mm　（社福）やまなみ会 やまなみ工房蔵　高石巧

P63〈ベイタウン〉2017年　キャンバス、油性ペン　383×456×19mm　（社福）やまなみ会 やまなみ工房蔵　高石巧

P63〈ウッドタワー〉2015年　キャンバス、油性ペン　910×730×25mm　（社福）やまなみ会 やまなみ工房蔵　大西暢夫

P63〈タワーシリーズⅣ〉2014年　キャンバス、油性ペン　908×728×24mm　（社福）やまなみ会 やまなみ工房蔵　高石巧

木村 全彦（撮影：大西暢夫）

P64-65〈駈馬神事〉2013年　パネル、紙、色鉛筆　910×1167mm　京都市ふしみ学園蔵

P66-67〈ロンドンタクシー〉2013年　色鉛筆、ボード　515×1450mm　京都市ふしみ学園蔵

P67〈黄色い車〉2012年　色鉛筆、ボード　515×728mm　京都市ふしみ学園蔵

P67〈東京タワー〉2014年　パネル、紙、色鉛筆　1167×910mm　京都市ふしみ学園蔵

P67〈大相撲〉2015年　パネル、紙、色鉛筆　1166×910×30mm　個人蔵

鵜飼 結一朗（＊取り扱いギャラリー：小出由紀子事務所）

P68-73〈船〉2019-2020年　ボール紙、水性ペン、油性ペン、色鉛筆　733×823mm　（社福）やまなみ会　やまなみ工房蔵　提供：所蔵先

P73（右2点）〈船〉2020年　ボール紙、マーカーペン、色鉛筆　735×825mm　（社福）やまなみ会　やまなみ工房蔵　提供：所蔵先

木村 茜（撮影：大西暢夫）

P74-75〈自転車〉制作年不詳　紙、油性ペン　382×540mm　作家蔵

P76-77〈お線香花火〉2003年　紙、油性ペン　380×540mm　作家蔵

P76〈自転車〉2010年　紙、油性ペン　380×540mm　作家蔵

P77〈スリッパ〉2009年　紙、油性ペン　380×540mm　作家蔵

P77〈スリッパ〉2010年　紙、油性ペン　380×540mm　作家蔵

P77〈お線香花火〉制作年不詳　紙、油性ペン　382×540mm　作家蔵

本岡 秀則（撮影：大西暢夫）

P78-79〈電車〉（部分）1995年頃　コピー用紙、鉛筆、色鉛筆、油性ボールペン　834×299mm　作家蔵

P80-81〈電車〉（P81部分）1995年頃　コピー用紙、鉛筆、色鉛筆、油性ボールペン、のり、セロハンテープ　830-834×297-298mm　作家蔵

伊藤 広哲（撮影：大西暢夫）

P82-84〈無題〉制作年不詳　紙、色鉛筆、鉛筆　252×353mm　作家蔵

P85〈ショールームⅢ〉2004年　紙、水彩絵の具、鉛筆　317×406mm　作家蔵

P85〈ショールームⅡ〉制作年不詳　紙、水彩絵の具、鉛筆　317×407mm　作家蔵

P85〈ショールームⅠ〉2004年　紙、水彩絵の具、鉛筆　317×407mm　作家蔵

澤田 真一（撮影：P86-90 高田真澄、P91 高石巧）

P86-87〈無題〉制作年不詳　陶土　90×260×260mm　（社福）なかよし会蔵

P88〈無題〉制作年不詳　陶土　390×170×180mm　（社福）なかよし会蔵

P89〈無題〉制作年不詳　陶土　410×220×300mm　（社福）なかよし会蔵

P89〈無題〉制作年不詳　陶土　180×290×290mm　（社福）なかよし会蔵

P89〈無題〉制作年不詳　陶土　560×250×260mm　（社福）なかよし会蔵

P89〈無題〉制作年不詳　陶土　350×260×260mm　（社福）なかよし会蔵

P90〈無題〉2009年　陶土　460×240×190mm　（社福）なかよし会蔵

P91〈無題〉（下）2001-2014年　厚紙、色画用紙、新聞紙、折り紙、包装紙、色鉛筆、水性ペン、油性ペン、セロハンテープ、のり、接着剤　55×67×123mm　（社福）なかよし会蔵

藤田 雄

P92-93〈614のおかあさんライオンとぺんぎんとぱんだちゃん〉2011年頃　紙、絵具、オイルパステル、ボールペン、鉛筆　380×540mm　作家蔵　大西暢夫　提供：（社福）グロー

P94〈618のおかあさんライオンとぺんぎんとぱんだちゃん〉2013年頃　紙、クレヨン、鉛筆　380×540mm　作家蔵　大西暢夫　提供：（社福）グロー

P94〈688のうさぎとぱんだちゃん〉2005年頃　紙、クレヨン、鉛筆　380×540mm　作家蔵　高石巧

P94〈536のぱんだちゃんとうさぎ〉2005年頃　紙、オイルパステル、鉛筆　380×540mm　作家蔵　大西暢夫　提供：（社福）グロー

P94〈23のあひるとインコ〉2005年頃　紙、クレヨン、ボールペン、鉛筆　381×540mm　作家蔵　大西暢夫

P94〈622のうさぎとあひる〉2004-2005年　紙、クレヨン、鉛筆　381×540mm　作家蔵　大西暢夫　提供：（社福）グロー

P94〈28のあひるとぱんだちゃん〉2005年頃　紙、クレヨン、鉛筆　381×540mm　作家蔵　大西暢夫

P94〈669のうさぎとぱんだちゃん〉2005年頃　紙、クレヨン、ボールペン、鉛筆　380×540mm　作家蔵　大西暢夫　提供：（社福）グロー

P94〈27のあひるとぞうさん〉2005年頃　紙、クレヨン、水彩絵具、鉛筆　382×540mm　作家蔵　高石巧

P94-95〈ひょうおおかみとじゃっけんしつ〉2007年　紙、オイルパステル、鉛筆　380×540mm　作家蔵　大西暢夫　提供：（社福）グロー

P95〈青鬼4号〉2014年頃　ボール紙、折り紙、ボールペン、ステープラ、ボンド　210×165×25mm　作家蔵　大西暢夫　提供：（社福）グロー

P95〈赤鬼9号〉2014年頃　ボール紙、折り紙、ボールペン、ステープラ、ボンド　220×163×25mm　作家蔵　大西暢夫　提供：（社福）グロー

P95〈鬼の面〉2013年　紙、色紙、ボールペン、ステープラ　204×155×37mm　作家蔵　大西暢夫　提供：（社福）グロー

藤岡 祐機

P96-97〈無題〉2012-2013年　問診表　75×90mm　作家蔵

P98〈無題〉2008-2010年頃　チラシ　55×128mm　作家蔵

P98〈無題〉2011年　チラシ、鉛筆　58×147mm　作家蔵

P98〈無題〉2006年頃　チラシ、色鉛筆　74×127mm　作家蔵

P98〈無題〉2006年頃　チラシ、色鉛筆　74×126mm　作家蔵

P98〈無題〉2008年頃　チラシ　56×127mm　作家蔵

P99〈無題〉2012-2013年頃　チラシ　作家蔵

P99〈無題〉2012年　折り紙　80×125mm　作家蔵

国府田 良子（撮影：大西暢夫）

P100-101〈無題〉1990-2000年頃　紙、マーカーペン　459×532mm　作家蔵

P102〈無題〉制作年不詳　紙、マーカーペン　作家蔵

P102〈無題〉制作年不詳　紙、マーカーペン　380×539mm　作家蔵

P102〈無題〉1990-2000年頃　紙、マーカーペン　459×531mm

作家蔵

P102-103〈無 題〉制作年不詳　紙、マーカーペン　作家蔵

そざい

暮らしにある「そざい」に秘められた未知の可能性

渥美 圭亮（撮影：高石巧）

P108-109〈無 題〉1995年頃　和紙、発泡スチロール、水彩絵の具　360×268×550mm　作家遺族蔵

P110〈無 題〉1995年頃　和紙、発泡スチロール、水彩絵の具　1673 × 593 × 487mm　作家遺族蔵

P111〈無 題〉1995年頃　和紙、発泡スチロール、水彩絵の具　1772×594×432mm　作家遺族蔵

P111〈無 題〉1995年頃　和紙、発泡スチロール、水彩絵の具　1586×610×494mm　作家遺族蔵

江中 裕子（提供：平川病院〈造形教室〉）

P112-113〈拘束〉2004年　コラージュ　1620×1303mm　作家蔵

P114-115〈長谷川君と裏表の人〉2002 年　コラージュ　728×1030mm　作家蔵

P114〈光と影〉2009年　コラージュ　1200×1450mm　作家蔵

P115〈進 化〉2001年　コラージュ　1030×728mm　作家蔵

勝部 翔太（撮影：大西暢夫）

P116-117〈無 題〉2011年　ビニールタイ　41×39×10mm　作家蔵

P117〈無 題〉2011年　ビニールタイ、銀紙　35×34×11mm　作家蔵

P117〈無 題〉2012年　ビニールタイ　32×32×16mm　作家蔵

勝山 直斗（撮影：たかはしじゅんいち）

P120-121〈無 題〉2013年-　石膏ボード、壁紙　2450×3920mm

P122〈無 題〉（部分） 2013 年-　石膏ボード、壁紙

P122〈無 題〉2013 年-　石膏ボード、壁紙

P123〈無 題〉（部分）

佐々木 早苗

P124-125〈無 題〉2007-2008年　綿布、綿糸　255×380mm 日本財団蔵　大西暢夫

P126（左上２点上側）同上（天地逆）

P126（左上２点下側）〈無 題〉2008-2009年　綿布、綿糸　200×300mm　作家蔵　るんびにい美術館

P126（左上２点を除く７点を右上から左下へ順に記載）

P126（1番目）〈しかく〉2003年　紙、ボールペン、水性ペン　235×350mm　作家蔵　大西暢夫　るんびにい美術館

P126（2番目）〈しかく〉制作年不詳　紙、ボールペン　235×350mm　作家蔵　るんびにい美術館

P126（3番目）〈無 題〉2004年　紙、ボールペン、サインペン　245×350mm　作家蔵　るんびにい美術館

P126（4番目）〈無 題〉2017年　水彩紙、画用紙、マーカー　910×1800mm　作家蔵　柳原洋子

P126（5番目）〈無 題〉制作年不詳　紙、ボールペン　246×352mm　作家蔵　大西暢夫

P126（6番目）〈しかく〉制作年不詳　紙、ボールペン　235×350mm　作家蔵　るんびにい美術館

P126（7番目）〈無 題〉制作年不詳　紙、ボールペン、水性ペン　246×352mm　作家蔵　大西暢夫

P126（下段４点左端）〈無 題〉2013-2014年　和紙、ボールペン　210×150mm（6点組）　作家蔵　るんびにい美術館

P126（下段残り３点）〈無 題〉2013-2014年　和紙、ボールペン　210×150mm（3点組）　作家蔵　るんびにい美術館

P127〈無 題〉制作年不詳　紙（印刷物）、ボールペン　235×120mm　作家蔵　るんびにい美術館

P127〈無 題〉2011-2012年　紙（印刷物）、ボールペン　515×363mm　作家蔵　るんびにい美術館

P126-127（左右下）〈無 題〉（部分）2015年　通販カタログ、ボールペン、マーカー　297×210×10mm　作家蔵　るんびにい美術館

渡邊 義紘

P128-129〈折り葉の動物たち（キリン）〉2003-2017年　葉　58×60×17mm　作家蔵　高石巧

P132〈折り葉の動物たち（ライオン）〉2003-2017年　葉　55×93×25mm　作家蔵　高石巧

P132〈折り葉の動物たち（ネズミ）〉2003-2017年　葉　26×62×17mm　作家蔵　高石巧

P133〈シマウマ〉2019年　紙　190×240mm　作家蔵

P133〈キリンの顔〉2018年　紙　220×150mm　作家蔵

P133〈象の顔〉2018年　紙　210×200mm　作家蔵

P133〈象〉2019年　紙　170×250mm　作家蔵

石野 敬祐

P134（右上を除く）-135〈女の子〉2008年　コピー用紙、油性マーカー、セロハンテープ　293-327×178-401×47-53mm　作家蔵　大西暢夫

P134（右上）,137〈女の子〉2012-2013年　コピー用紙、OHPシート（P137 右下のみ）、油性マーカー、セロハンテープ、293-340×188-210×47-55mm　作家蔵　高石巧

梅木 鉄平（撮影：大西暢夫　提供：（社福）グロー）

P138-139〈テープの造形〉制作年不詳　セロハンテープ、小石　660×245×74mm　作家蔵

P140-141〈テープの造形〉制作年不詳　セロハンテープ、小びん　142×282×170mm　作家蔵

P140〈テープの造形〉制作年不詳　セロハンテープ　530×970×197mm　作家蔵

P140〈テープの造形〉制作年不詳　セロハンテープ、小石　650×230×83mm　作家蔵

P140-141〈テープの造形〉制作年不詳　セロハンテープ、小石　18×295×70mm　作家蔵

P141〈テープの造形〉制作年不詳　セロハンテープ、画用紙、小石　134×101×14mm　作家蔵

P141〈テープの造形〉制作年不詳　セロハンテープ、小石　150×211×187mm　作家蔵

萩尾 俊雄

P142-145〈無 題〉2014-2015年　チラシ、ボール紙、油性ペン、セロハンテープ　290-312×50-250×277-375mm　作家蔵

山﨑 健一（撮影：大西暢夫　提供：（社福）グロー）

P146-147〈無 題〉制作年不詳　方眼紙、水性ペン、油性ペン、色鉛筆、シール、修正液　256×363mm　滋賀県立近代美術館蔵

P148〈無 題〉制作年不詳　方眼紙、水性ペン、油性ペン、色鉛筆、鉛筆　209×296mm　滋賀県立近代美術館蔵

P148〈無 題〉制作年不詳　方眼紙、水性ペン、油性ペン、色鉛筆、シール、修正液　209×296mm　滋賀県立近代美術館蔵

P148〈無 題〉制作年不詳　方眼紙、水性ペン、油性ペン、色鉛筆　181×256mm　滋賀県立近代美術館蔵

P148〈クレーン〉制作年不詳　方眼紙、水性ペン、水性マーカーペン、油性ペン、色鉛筆、シール　210×297mm　作家遺族蔵

P148〈クレーン〉制作年不詳　方眼紙、水性ペン、水性マーカーペン、油性ペン、色鉛筆、シール　210×297mm　作家遺族蔵

P149〈無 題〉制作年不詳　方眼紙、水性ペン、油性ペン、色鉛筆　181×256mm　滋賀県立近代美術館蔵

P149〈クレーン〉制作年不詳　方眼紙、水性ペン、水性マーカーペン、油性ペン、色鉛筆、シール　210×297mm　作家遺族蔵

P150〈無 題〉制作年不詳　方眼紙、水性ペン、油性ペン、色鉛筆、鉛筆　181×256mm　滋賀県立近代美術館蔵

P150〈タイプライターと野菜〉制作年不詳　方眼紙、水性ペン、水性マーカー、油性ペン、色鉛筆、シール　256×364mm　作家遺族蔵

P150〈タイプライターと野菜〉制作年不詳　方眼紙、水性ペン、水性マーカー、油性ペン、色鉛筆、修正液、シール　256 x 364mm　作家遺族蔵

P150〈無 題〉制作年不詳　方眼紙、水性ペン、油性ペン、色鉛筆、鉛筆　209×296mm　滋賀県立近代美術館蔵

P150〈ユンボ（泥上げ）〉制作年不詳　方眼紙、水性ペン、水性マーカー、色鉛筆、鉛筆　210×297mm　作家遺族蔵

P151〈無 題〉制作年不詳　方眼紙、水性ペン、油性ペン、色鉛筆、鉛筆、シール　209×295mm　滋賀県立近代美術館蔵

P151〈無 題〉制作年不詳　方眼紙、水性ペン、油性ペン、色鉛筆、シール　209×296mm　滋賀県立近代美術館蔵

P151〈無 題〉制作年不詳　方眼紙、水性ペン、油性ペン、色鉛筆、鉛筆、修正液　209×296mm　滋賀県立近代美術館蔵

P151〈無 題〉制作年不詳　方眼紙、水性ペン、油性ペン、色鉛筆、鉛筆、シール　209×296mm　滋賀県立近代美術館蔵

P151〈クレーン船〉制作年不詳　方眼紙、水性ペン、油性ペン、色鉛筆、鉛筆、シール　209×296mm　作家遺族蔵

ものがたり

作品一つひとつに込められた「ものがたり」

西山 洋亮（撮影：大西暢夫）

P156-159（P158, 159 上のみ）〈西山洋亮の世界〉制作年不詳　紙、水性ペン　250×350mm　作家蔵

P158（下）〈西山洋亮の世界〉（部分）　制作年不詳　紙、水性ペン　344×251mm　作家蔵

P159（下）〈西山洋亮の世界〉制作年不詳　紙、水性ペン、油性ペン　250×350mm　作家蔵

池田 真悟（撮影：大西暢夫）

P160-163〈無題〉（P162 下, P163 上は部分）　制作年不詳　ノート、色鉛筆、水性ボールペン、水性ペン、修正液、シール、セロハンテープ　250-252×358-359×3mm　作家蔵

宮 宏一郎

P164-165〈進化をして高エネルギーの時代へ〉2011年　紙、鉛筆、色鉛筆、クレヨン　251×351mm　作家蔵

P166-167　タイトル不詳　2013年　紙、水彩絵具、鉛筆　作家蔵

P167〈進化した人間　エネルギー消費量2000kcalの時代（IQ200の時代）＝ピアノ17オクターブ4分の3　214鍵〉2011年　紙、鉛筆、色鉛筆、クレヨン　252×364mm　作家蔵　高石巧

P167〈夢〉2012年　紙、鉛筆、色鉛筆、クレヨン　250×351mm　作家蔵

P167〈いい社会へ〉2014年　紙、水彩絵の具、鉛筆　466×534mm　作家蔵

古久保 憲満

P168-169〈カナダの町〉2011年　紙、鉛筆、色鉛筆、ボールペン、水性ペン　546×778mm　作家蔵　高石巧

P170-171〈3つのパノラマパーク360度パノラマの世界「観覧車、リニアモーターカー、ビル群、過現未、鉄道ブリッジ、郊外の街、先住民天然資源のある開発中の街」〉（部分）1995年　紙、色鉛筆、水性ペン、鉛筆　1567×10051mm　作家蔵　高石巧

P172-173〈北朝鮮とアメリカの刑務所をモデルにした街〉2011年　紙、鉛筆、色鉛筆、ボールペン、水性ペン　607×785mm　作家蔵　大西暢夫

吉澤 健（撮影：大西暢夫）

P174-175〈無 題〉制作年不詳　パンフレット、鉛筆　210×148mm　作家蔵

P176〈無 題〉制作年不詳　パンフレット、チラシ、セロハンテープ、色鉛筆　作家蔵

P176〈無 題〉制作年不詳　パンフレット、チラシ、セロハンテープ、鉛筆、　207×152mm　作家蔵

P176〈無 題〉制作年不詳　ノート、紙（新聞紙、広告）、セロハンテープ、鉛筆、ボールペン　152×113×20mm　作家蔵

P177（上から3点）〈無 題〉制作年不詳　ノート、紙（新聞紙、広告）、セロハンテープ、鉛筆、ボールペン　152×220×10mm　作家蔵

P177〈無 題〉制作年不詳　パンフレット、チラシ、セロハンテープ、鉛筆、　207×152mm　作家蔵

平野 智之

P178-181〈美保さんシリーズV（中部国際空港）〉2016年　紙、鉛筆、色鉛筆　297×210mm（17点）　作家蔵　大西暢夫

戸谷 誠（撮影：大西暢夫）

P182-183〈No.38 1998.10.25〉（部分）

P184-185（1~4段目）〈No.38　1998.10.25〉1998年-　和紙、アクリル絵具、ガッシュ、墨　280×19420mm　作家蔵

P184-185（5~8段目）〈No.61　2001.9〉　2001年-　和紙、アクリル絵具、ガッシュ、墨　280×19450mm　作家蔵

松田 僚馬（撮影：大西暢夫）

P186-187〈最高の輝き 黄金のナンバーワン〉2005年　紙、鉛筆　267×390mm　作家蔵

P188〈悲しき過去を乗り越える未来〉制作年不詳　紙、鉛筆、色鉛筆　211×298mm　作家蔵

P188〈時の流れの時代〉2008年　紙、鉛筆、色鉛筆　210×298mm　作家蔵

P189〈古い過去の未来〉2006年　紙、鉛筆　218×310mm　作家蔵

P189〈スーパーラッキー最高の2019〉2002年　紙、鉛筆　269×389mm　作家蔵

P189〈もうひとつの忘れない最高のプレゼント〉2005年　紙、鉛筆　267×389mm　作家蔵

松本 寛庸（撮影：大西暢夫）

P190-191〈加藤清正と徳川家康の陣取り合戦〉2009-2010年頃　紙、鉛筆、色鉛筆、水性ペン　766×1086（4点）　作家蔵

P192-193〈加藤清正と徳川家康の陣取り合戦〉（部分）

P193〈国盗り絵巻〉2010年頃　紙、鉛筆、色鉛筆、水性ペン　766×1086mm（3点）熊本市現代美術館蔵

西田 裕一

P194-195〈みかんならここです〉2017年　紙、万年筆、水性ペン、油性ペン、セロハンテープ　1088×1537mm　作家蔵　高石巧

P196〈まち〉　2009年　紙、万年筆　770×1087mm　作家蔵　大西暢夫

P196〈ひたすらウサ〉2011年　紙、万年筆　768×1086mm　作家蔵　大西暢夫

P196〈写る雪〉2013年　紙、万年筆　766×1088mm　作家蔵　大西暢夫

P197〈えみとちから〉2011-2012年　紙、万年筆、朱肉　770×1086mm　作家蔵　大西暢夫

P197〈蹴鞠〉　2017年　紙、万年筆　770×1088mm　作家蔵　高石巧

小林瑞恵（こばやし・みずえ）　1979 年長野県生まれ。社会福祉法人愛成会副理事長。アートディレクター。2004 年障害のある人々が創作活動を行う「アトリエ pangaea」を立ち上げ。2012年-13 年日本のアール・ブリュットを本格的に紹介するヨーロッパ巡回展「Outsider Art from Japan」、2014 年日本スイス国交樹立 150周年記念事業「ART BRUT JAPAN SCHWEIZ」展（スイス）、2017年障害者の文化芸術国際交流事業 2017 ジャパン×ナント プロジェクト 日本のアール・ブリュット「KOMOREBI」展（フランス）、2018年「Art Brut Japonais Ⅱ」展（フランス）で日本側キュレーター。2016 年東京芸術文化評議会アール・ブリュット検討部会委員を務める。2019 年第 99 回ピースボート「地球一周の船旅」水先案内人。2020 年東京都主催のアール・ブリュット 2020 特別展「満天の星に、創造の原石たちも輝く カワル ガワル ヒロガル セカイ」で企画協力、キュレーションを担当。共著に『スウェーデンのアール・ブリュット発掘―日常と独学の創造価値』（平凡社）がある。

ART BRUT
アール・ブリュット
湧《わ》き上《あ》がる衝動《しょうどう》の芸術《げいじゅつ》

2020 年 9 月 5 日　第 1 刷発行

著　者　小《こ》林《ばやし》瑞《みず》恵《え》
発行者　佐藤　靖
発行所　大和《だいわ》書房
東京都文京区関口 1-33-4
電話 03-3203-4511
協　力　社会福祉法人愛成会
empit
ブックデザイン　吉岡秀典（セプテンバーカウボーイ）
印刷所　歩プロセス
製本所　ナショナル製本

ISBN978-4-479-39348-1

http://www.daiwashobo.co.jp/

カバー表　藤田 雄〈614のおかあさんライオンとぺんぎんとぱんだちゃん〉
カバー裏　上　八重樫 道代〈やさいのなかま〉
下　山﨑 健一〈クレーン〉
カバー袖　西山 洋亮〈西山洋亮の世界〉（部分）

タイトル文字　八重樫 道代〈宇宙船〉（部分）

表紙、総扉、奥付　高橋 甫〈山 麓〉（部分）
はじめに、目次　高橋 甫〈鳳 凰〉（部分）
口絵　P2　福井 誠〈私の宇宙。人を見失い、自分を見失う。ソソ、それでもあなたは人を愛せますか？〉（部分）

P3　山﨑 健一〈クレーン船〉（部分）
P4　西田 裕一〈みかんならここです〉（部分）
P5　松本 寛庸〈国盗り絵巻〉（部分）

章扉　P11　佐藤 朱美〈エキサイト〉（部分）
P59　藤田 雄〈618のおかあさんライオンとぺんぎんとぱんだちゃん〉（部分）
P107　江中 裕子〈長谷川君と裏表の人〉（部分）
P155　平野 智之〈美保さんシリーズ V（中部国際空港）〉（部分）

おわりに　佐藤朱美〈トロサウルス〉（部分）